Ursula Marc

NICHT WIE BEI RÄUBERS …

Vierzehn Abenteuer für große und kleine Leute
Gezeichnet von German Frank

D&D Medien

Impressum:

25. Auflage 10/2009
192.000 - 198.000

D&D Medien GmbH
© 1992, 1997 D&D Medien GmbH
Gewerbestraße 5, 88287 Grünkraut
www.ddmedien.com
Satz: D&D Medien
Illustrationen: German Frank
Cover: Klex Design, Godela Lütge, Altensteig
Druck: St.-Johannis-Druckerei, Lahr

ISBN 978-3-932842-01-6

Erstes Erlebnis

Als Tom aufwachte, traute er zuerst seinen Augen nicht. Was er da sah, war wie ein Traum. Er lag auf einer weichen Matte in einem warmen, hellen Raum. Drüben stand ein Tisch, beladen mit den herrlichsten Speisen. Da waren Fleisch, Brot, Früchte, rohe und gekochte Pflanzen und Dinge, die Tom noch nie gesehen hatte. So etwas hatte es bei Räubers nie gegeben. Wenn der Alte bei Räubers etwas heimgebracht hatte, warf man den Kindern was vor, und die balgten und stritten sich darum, bis schließlich die stärksten das meiste abkriegten. Aber Tom hatte gelernt, schlau zu sein und sich manches auf andere Weise zu besorgen!

Tom hatte einen Riesenhunger. Er sah sich nach allen Seiten um, ob ihn auch ja niemand beobachtete. Doch in diesem Augenblick kamen ganz helle, seltsame Kinder herein. Die setzten sich um den Tisch herum und winkten Tom, er solle mitessen. Aber der hatte sich schon hinter einem Sessel versteckt. Die waren doch in der Überzahl! Die wollten ihn ganz sicher einfangen! Man konnte ja niemandem trauen! Ein

größerer Junge stand auf und wollte den Gast an den Tisch holen, aber Tom schlug um sich wie ein wildes Tier.

Als die Kinder dann anfingen zu essen, lugte er von hinten vor und konnte es nicht fassen, was er da beobachtete: Keiner nahm dem anderen was weg, sondern sie reichten einander sogar die Speisen! Bei Räubers stopfte man sich mit den Händen so viel man erwischte in den Mund und in die Hosentaschen und verschlang es dann in irgendeiner Ecke, bevor andere es einem wegnehmen konnten. Hier war alles so friedlich, und die Kinder hatten sogar noch nebenher Zeit, miteinander zu reden und zu lachen. Keiner warf dem anderen die Abfälle an den Kopf, keiner wischte sich die Hände am Hosenboden, keiner brüllte den anderen an. Es war so anders als bei Räubers!

Vor lauter Staunen vergaß Tom fast seinen Hunger, doch als die Kinder am Ende sogar noch etwas übrig ließen und hinausgegangen waren, stürzte er sich mit einem Heißhunger darauf. Den sauberen Teller brauchte er nicht, denn hastig ergriff er alles, was ihm einigermaßen bekannt vorkam, und verspeiste es hinter seinem Sessel. Das schmeckte! Hier wollte er bleiben.

Wo war er überhaupt? Wie war er hierher gekommen? Das war wohl erst gestern gewesen – all das Schreckliche und Erstaunliche, das er erlebt hatte: Wegen einer Kleinigkeit hatten ihn die Räuber noch brutaler als sonst verprügelt und, als er mit Fortlaufen drohte, ihn gefesselt und in eine dunkle Höhle gesperrt. Da hatte er geschrien, so laut er konnte, seine ganze Wut und Verzweiflung hinausgebrüllt. Bis ihm die Stimme versagte und er nur noch leise wimmerte. Da hörte er eine ihm unbekannte Männerstimme mit den Räubern verhandeln.

Die Räuber waren unverschämter als je zuvor und verlangten einen unmöglich hohen Preis. Wie es ausging, konnte er nicht mehr hören. Doch bald darauf wurde sein dunkles Gefängnis geöffnet. Ein heller Mann schnitt ihm seine Fesseln auf und setzte ihn zu sich aufs Pferd. Dann musste er vor Erschöpfung eingeschlafen sein …

Seltsam, dieser Mann. Er war so anders als die Räuber. Warum musste man sich vor ihm nicht fürchten? Die Tür ging auf und da war er wieder, der helle Mann. Er blickte überhaupt nicht zornig, als er sah, dass Tom gegessen hatte, sondern er lachte zu ihm herüber und sagte ganz locker: „Dir scheint es hier zu gefallen, Tom? Aber es gibt noch viel Schöneres hier für dich. Nun, wie wär's mit einem Bad? Hast du schon einmal ein Badezimmer gesehen?" Der Mann ging voraus. Der Räuberjunge zögerte. Das könnte eine Falle sein! Was wartete dort auf ihn? Aber feige wollte Tom nicht sein, und neugierig war er auch. Er konnte ja mal reinschauen.

Es war ein kleinerer grüner Raum, wo allerlei Seltsames blitzte. In der Mitte war etwas wie ein kleiner Teich, und als Tom die Hand reinstreckte, staunte er: Es war warmes Wasser! Wie herrlich wäre es, da hineinzusteigen! Ganz freundlich schlug der helle Mann vor: „Na, wäre das nicht ein Genuss für dich, Tom? Warum ziehst du nicht einfach deine Kleider aus und hüpfst hinein?" Seine Kleider ausziehen? Nein. Die gehörten ihm. Die würde er nie hergeben! Trotzig stand er da. Der Mann wartete. Er hatte offenbar unendlich viel Zeit. Warum wartete er überhaupt? Er war doch der Stärkere, er hätte ihn leicht dazu zwingen können! Der Alte bei Räubers hätte das getan.

Das Wasser lockte. Gar zu gerne wollte Tom da hinein – aber seine Kleider hergeben? Er hatte sich so an sie gewöhnt. Stimmt, die Hosen waren schon lange zu eng und zu kurz geworden, und das Hemd hatte fast mehr Loch als Stoff. Ja, sehr viel war nicht mehr dran. Und der Geruch war wohl auch nicht sehr fein. Aber trotzdem, nur nichts hergeben! Das hatte er gelernt. Bei Räubers.

Erst als ihn seine Flöhe ganz gewaltig bissen und er mit Kratzen nicht mehr nachkam, sah er ein, dass nur ein Sprung ins Wasser da abhelfen könnte. Hastig warf er die Sachen ab. Als er die schmutzigen Fetzen am Boden sah, merkte er, dass sie wirklich nicht hierher passten. Und hatte nichts dagegen, dass der Mann sie ergriff und ins Feuer warf.

Wie herrlich war dieses Wasser! Mit einem weichen Schwamm strich der Mann ganz sanft über den mageren Körper des Jungen und war erschüttert über das, was unter der schwarzen Kruste hervorkam: Kratzer und Beulen, blaue Flecken und Striemen, Narben und Entzündungen. Mit Tränen in den Augen hüllte ihn der Mann in ein warmes, weiches Tuch, strich ganz zart mit seinem Finger etwas Weißes auf die wunden Stellen, und dann durfte Tom die weißen Kleider anziehen, die er ihm reichte.

Als er fertig war, lachte der Mann ganz glücklich und führte Tom an eine Wand, in der er sich wie in einem See spiegeln konnte. Aber das war er doch nicht, das konnte er nicht sein – so hell und sauber und schön! Der Junge zwickte sich ganz heftig in die Seite – und es tat weh. Also war er's doch! Sprachlos schaute er den hellen Mann an, und der führte ihn wieder zurück ins andere Zimmer. Dort setzte er sich in den mächtigen roten Sessel und – nahm Tom auf seinen Schoß. Da gab der Junge auch den letzten Widerstand auf. Es wurde ihm so warm ums Herz, viel wärmer als vorher im Bad – und er wusste, dass er diesem Mann trauen konnte. Tom schmiegte sich in seine Arme und war so glücklich, dass er für immer darin bleiben wollte.

So etwas hatte er noch nie erlebt! Starke Arme, die ihn hielten, ohne dass es wehtat. Einen Schoß, in den er sich fallen lassen konnte, ohne ständig auf der Hut zu sein. Hier ruhte er weicher als auf weichstem Moos, sicherer als in der tiefsten Höhle. Und selbst mit geschlossenen Augen spürte Tom den Blick dieses hellen Mannes, der ihm wohl tat – bis ganz tief innen rein.

Tom war es, also ob er endlich den Platz gefunden habe, den er sein Leben lang gesucht hatte. Seinen Platz, auf den er hingehörte. Eigentlich wollte der Junge gar nichts anderes tun als nur genießen. Doch nach einer Weile kamen die anderen Kinder herein. Sie trugen kleine goldene Kronen auf dem Kopf und brachten dem Mann eine weitere. Dieser setzte sie Tom auf und sagte freudig: „Tom, du bist von jetzt an auch mein Kind!"

Da schaute Tom ihn an und wusste plötzlich mit großer Sicherheit: Dieser Mann ist der König! Aber seltsam, der kleine Junge hatte gar keine Angst vor ihm! Nun, er saß ja auf seinem Schoß! Er war doch jetzt sein Kind!

Zweites Erlebnis

Sein Kind war er, ein Königskind! Er, Tom, der sein Leben lang unter Räubern verbracht hatte. Ob er je aufhören würde, sich darüber zu freuen und zu staunen? Das fing schon morgens an. Bei Räubers hatte man nach den abendlichen Gelagen oder nächtlichen Raubzügen am Morgen überhaupt keine Lust zum Aufstehen. Wozu auch? Räubervater und -mutter waren übel gelaunt und zerstritten. Ihnen kam man am besten nicht zu nahe. Und vor den anderen Räuberkindern musste Tom sich verstecken. Sie nahmen ihm sonst seinen Bissen Brot weg, den er sich vom Abend vorher aufgespart und sorgsam gehütet hatte. Oder sie trieben ihren Lieblingssport – indem sie etwas Gemeines gegen ihn ausheckten. Bei solchen Unternehmungen hielten sie zusammen. Ansonsten war dort jeder gegen jeden – bei Räubers.

Hier im Königsschloss wachte Tom am nächsten Morgen früh auf. Sein neuer Vater, der König, hatte am Abend gesagt, er dürfe gleich morgens wieder zu ihm kommen. Und weil es gestern beim König so schön gewesen war, zog ihn seine Erwartung aus den weichen Federn.

Tatsächlich, Tom durfte wieder auf seinem Schoß sitzen. Das wurde überhaupt Toms Lieblingsplatz. Denn hier fand der kleine Junge alles, was ihm sein Leben lang gefehlt hatte: Hier war jemand für ihn da, hier war er willkommen. Ja, hier war sein eigentlicher Platz! Immer wieder kehrte Tom dahin zurück. Und der König hatte immer Zeit für ihn.

Dann gab's Frühstück. Für alle zusammen. Und es war so viel da, dass es für alle reichte. Wie er es so gewöhnt war, ließ Tom heimlich ein Stück Brot in seiner Tasche verschwinden – als Vorrat. Aber am Mittag gab es wieder neues Essen – und als Tom in die Tasche nach seinem Stück Brot langte, war es seltsamerweise ganz ungenießbar und faulig geworden. Ein anderer Junge, der dazukam, als Tom die Reste aus seiner Tasche entfernte, lachte ihn nicht aus, sondern erklärte ihm: „Bei uns brauchst du nicht selbst für die nächste Mahlzeit zu sorgen. Weißt du, unser Vater ist unendlich reich und sorgt für uns. Auf ihn kannst du dich verlassen!" Ja, das konnte Tom wohl – nach den Erfahrungen seit gestern.

Bis ihn die Angst überfiel. Und das kam so: In dem prächtigen Saal, wo der Tisch immer so reichlich gedeckt war, gab's noch viel mehr zu bestaunen: bunte Bilder, lustige Vorhänge, herrlich duftende Blumen. An der Wand stand eine geschnitzte Truhe, darüber hing etwas ganz Hübsches. Es war wie ein Kästchen, und wenn man unten an einer Schnur zog, erklang eine solch schöne Musik, wie sie Tom zuvor noch nie gehört hatte. Ganz verzaubert lauschte er. Immer wieder zog er daran und hatte große Freude an den schönen Klängen. Wie sie wohl entstanden? Das musste er sich näher ansehen!

Als alle Kinder zum Spielen hinausgeeilt waren, blieb Tom alleine zurück, schwang sich auf die Truhe, holte das Kästchen herunter und öffnete das Türchen auf der Rückseite. Da waren viele silberne Rädchen, Stäbchen und Hämmerchen – alles sehr, sehr zierlich. Mit seinen etwas plumpen Bubenfingern probierte Tom, ob er selber die Musik irgendwie anstoßen könnte. Oh weh,

da war es schon passiert! Irgendwo machte es „knacks", und ein Rädchen war gebrochen. Etwas surrte noch kurz, dann war alles still. Schade, nun war's aus mit der Musik! Und er,

Tom, war schuld daran! Was hatte er getan! Da packte ihn die Angst. Er sah sich um. Niemand hatte ihn gesehen. Schnell schlug er das Türchen wieder zu, hängte das Kästchen zurück an seinen Platz und rannte aus dem Zimmer. Was würde jetzt mit ihm geschehen? Nichts wie weg! Aber wohin? Tom rannte aus dem Schloss in den Park, er rannte und rannte, nur fort, immer weiter. Bis er ein sicheres

Versteck fand: Es war ein Baum mit einer ganz dichten Blätterkrone. Hier würde ihn niemand entdecken. Hier war er sicher. Wovor eigentlich?

Als Tom wieder zu Atem kam, plagten ihn schreckliche Gedanken: „Nie wieder darf ich mich im Schloss sehen lassen. Sicher weiß jeder schon, dass ich es war. Was werden die Kinder sagen? Und der König? Wie wird er reagieren? Wohl sehr zornig, denn das Kästchen ist sicher sehr kostbar." Tom steckten seine üblen Erfahrungen bei Räubers noch so in den

Knochen: Er dachte an die Prügel, die es dort in solchen Fällen gegeben hatte – und er zitterte vor Angst.

Und allmählich auch vor Kälte, denn inzwischen war es Nacht geworden.

„Gut", dachte Tom, „dann finden Sie mich wenigstens nicht mehr!" Aber es war schrecklich unbequem auf dem harten Ast – und er war allein. Schade, im Schloss war es so wunderschön gewesen. Er wäre gerne dort geblieben. Ob es hier wilde Tiere gab? Wenn der Wind in den Blättern rauschte oder ein Ast knackte, zuckte er zusammen.

Lange hatte er so gesessen und sich krampfhaft festhalten müssen, um nicht herunterzufallen. Da – waren das nicht Schritte? Tom riss die Augen auf und starrte ins Dunkel. Eine große Gestalt stand unter dem Baum, und eine tiefe Stimme sagte ruhig: „Komm runter, Tom! Es ist alles gut."

„Aber", stammelte Tom, „ich hab doch …"

Der König unterbrach ihn: „Es ist wirklich alles gut!"

Da ließ sich Tom einfach fallen, und die ausgebreiteten Arme des Vaters fingen ihn auf. „Mein Kind, musst du Angst gehabt haben! Warum bist du davongelaufen? Warum versteckst du dich vor mir? Weißt du: Schuld verstecken, das ist das Schlimmste für dich – und für mich. Glaub mir, ich halte immer zu dir, ganz gleich, was du tust. Auch wenn du mal was falsch gemacht hast, kommst du am besten sofort zu mir. Denn ich kann alles wieder gutmachen – und ich tu das so gerne. – Willst du das lernen?" Tom nickte und ließ sich verwundert, aber dankbar von seinem starken Vater nach Hause tragen.

So unbegreiflich gut war dieser Vater – auch wenn man was angestellt hatte, konnte man zu ihm kommen! Das wollte der Junge sich merken. Aber weil das Kästchen kostbar gewesen war, beschloss Tom, den Schaden wenigstens einigermaßen wieder gutzumachen. So stand er am nächsten Tag ganz früh auf, pflückte einen großen Blumenstrauß für den König und stellte ihn an dessen Platz. Dann zog er eine dunkle Schürze über sein helles Gewand, deckte den Frühstückstisch für die anderen, half in der Küche, verzichtete sogar vor lauter Eifer auf das Essen, schaffte im Garten, in den Ställen bei den Pferden und überall, wo er Arbeit sah. Er mühte sich den ganzen Tag ab und am Abend war er sehr müde von der ungewohnten Arbeit. Eigentlich konnte er mit sich zufrieden sein: Er hatte etwas geleistet! Aber etwas war nicht in Ordnung, als ob ihm etwas fehlte …

Mitten in der Nacht wachte er auf. Da saß der König an seinem Bett und fragte: „Tom, wo warst du den ganzen Tag? Und warum hast du mir weder ‚Guten Morgen‘ noch ‚Gute Nacht‘ gesagt? Danke für den Blumenstrauß! Der war lieb gemeint. Aber du, du selber, hast mir gefehlt!" Als Tom ihm erklärte, dass er für den Schaden, den er angerichtet hatte, irgendwie hatte aufkommen wollen, meinte der König ganz ernst: „Das ist nicht deine Sache. Den Preis hat ein anderer bezahlt! Ich habe dir doch gesagt, dass wirklich alles gut ist. Du darfst hier lernen, dich beschenken zu lassen, nichts selber verdienen zu müssen. So ist das in meinem Reich."

Das war zuviel für den Bubenschädel, verstehen konnte er das nicht. Aber weil er merkte, dass es dem Vater wichtig war, wollte er auch das lernen. Und als der König ihm die Schürze auszog, die er aus Versehen angelassen hatte, und ihn liebevoll zudeckte, wusste er, was ihm gefehlt hatte – das Zusammensein mit dem König, seinem Vater. Der sagte auch noch: „Du, ich freu mich auf morgen, wenn du wieder zu mir kommst!" Da schlief er lächelnd ein. Dass jemand sich auf ihn, Tom, freute, das hatte er noch nie erlebt!

Drittes Erlebnis

Tat das gut! Jeden Tag durfte Tom erleben, wie wichtig es dem König war, dass er viel Zeit mit ihm verbrachte – er, der ehemalige Räuberjunge, der jetzt sein Kind geworden war. Zwischendrin durfte er mit den anderen Kindern spielen. Auch die hatten ihn gern und zeigten ihm alles, was er noch nicht kannte. Anstatt „taube Nuss" oder „Feigling!" oder noch schlimmerer Beschimpfungen, die ihm bei Räubers an den Kopf geworfen wurden, sagten sie zu ihm: „Schön, dass du mitspielst!" oder „Das hast du gut gemacht!" oder „Komm, wir unternehmen was miteinander!" So wurde Tom jeden Tag ein Stück schöner und größer. Er merkte das auch und kam sich schon ganz stark vor. Bis ihm die Augen aufgingen. Das ging so zu:

Eines Morgens waren die Kinder schon beim Frühstück ganz aufgeregt. Irgend etwas lag in der Luft. Ihre frisch gewaschenen Gesichter glänzten vor Freude, als der Vater hereinkam, und groß war der Jubel, als er ankündigte, dass der Sohn zurückkomme. Die Kinder klatschten und hüpften, pfiffen und sangen und konnten den Tag fast nicht erwarten, bis sie den Königssohn wiedersehen sollten. Voller Eifer planten und beratschlagten sie, was sie zum Willkommensfest beitragen könnten. Für Tom war das alles ein bisschen verwirrend. Wer war der Königssohn? Keiner hatte jedoch Zeit, ihm das zu erklären, und der Vater sagte nur geheimnisvoll lächelnd: „Du wirst schon sehen!"

Da ließ sich Tom einfach von ihrer Vorfreude anstecken, probte die Tänze mit und half beim Blumen-

pflücken. Ganze Berge von Blumen schleppten die Kinder herbei und lieferten sie an einem prächtigen Tor ab, über dem wunderschöne, goldene Zeichen aufgemalt waren. Die anderen Kinder erklärten ihm, das sei der Thronsaal. Was da wohl drin war? Toms Spannung wuchs mehr und mehr.

Endlich war der Tag da! Die Kinder zogen alle ihre neuen Gewänder an, die sie extra für dieses Fest bekommen hatten. Die hohe Tür zum Thronsaal stand weit offen, herrliche Musik drang heraus, und ganz feierlich und erwartungsvoll strömten viele, viele Menschen hinein. War das eine Pracht! Alles war herrlich geschmückt, bunt und leuchtend. Tom wunderte sich, wie unwahrscheinlich groß dieser Saal war. Und trotz der vielen Menschen waren noch viele Plätze frei.

Aber all das war eigentlich unwichtig für Tom, denn vorne, hoch erhoben über allem, war ein Thron, und darauf saß einer. Sein Anblick war so gewaltig

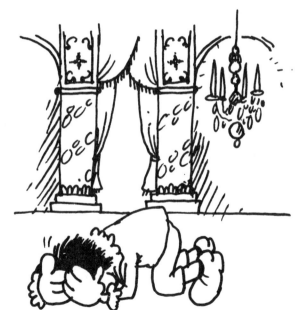

und der Glanz, der von ihm ausging, so stark, dass Tom vor Furcht vergehen wollte. Er hob die Hände vors Gesicht und fiel zu Boden. Um den Thron war es strahlend hell und man hörte ein Rauschen wie Musik. Alle Menschen im Thronsaal warfen sich zu Boden und riefen: „Du allein bist groß! Du bist herrlich und unbegreiflich! Du regierst für alle Zeiten!"

Da sprach der, der auf dem Thron saß: „Steht auf und kommt näher, meine Kinder! Feiert mit mir! Denn mein Sohn kehrt zurück. Er hat gesiegt und erobert. Kommt herein in die Freude eures Vaters!"

Diese Stimme – die kannte er doch! Aber hier klang sie wie das Rauschen von sehr viel Wasser. Vorsichtig lugte Tom zwischen den Fingern hindurch nach vorne. Ja, trotz des strahlenden Glanzes erkannte er ihn. Es war sein Vater! Eben brach ein gewaltiger Jubel los, und Tom jubelte mit.

Als die Freude am größten war, zog der Sohn herein. Sein Gewand war heller und

17

strahlender als die Sonne, und seine Größe und Schönheit waren unbeschreiblich. Er eilte auf den Thron zu, und als der Vater und der Sohn sich in die Arme fielen, wurden alle ganz still. Toms Herz glühte, und es war ihm, als würde er in die Liebe zwischen Vater und Sohn mit hineingezogen.

Nach einer Weile sprach der Vater voller Zärtlichkeit und voller Stolz zugleich: „Mein geliebter Sohn! Setze dich auf deinen Platz zu meiner Rechten!" Da erklang eine herrliche Musik von vielen Instrumenten, und alle sangen ein neues Lied:

Was für ein Sohn!
Seine Liebe ist ohne Maß.
Mit seinem Leben
bezahlte er den Preis.
Er hat uns zu Königskindern gemacht.
Es lebe unser Herr!

Den Preis …? Bezahlte …? Schon zweimal hatte er diese Worte in letzter Zeit gehört. Irgendetwas in Tom war berührt. Er schloss die Augen. Da sah er wie in einem Bild den schrecklich zugerichteten Leib eines jungen Mannes blutend an einem Baum hängen. Räuber standen um ihn herum und lachten hämisch. Das war doch der Köngissohn! Entsetzlich! Tom wollte das nicht mehr sehen und riss die Augen auf. Da sah er, dass der Sohn ihn anschaute und sagte: „Ja, ich war der Preis. Ich habe mit meinem Blut bezahlt. Für dich. Weil du mir lieber bist als mein Leben."

Unglaublich – das hatte dieser herrliche Sohn für ihn getan?! Tom war so erschüttert, dass er weinend zusammenbrach. Wie konnte er seinem Retter je genug danken? Wie konnte er, der kleine Junge, ihm zeigen, wie sehr er ihn liebte? In diesem Augenblik rief der Königssohn gerade mit lauter Sitmme: „Ich will noch mehr Gefangene befreien. Alle Menschen sollen in dieses glückliche Land kommen. Wer will mir dabei helfen?"

Da gab es kein Halten mehr. Tom sprang auf und rannte zwischen allen hindurch auf den Königssohn zu, um ja nur der erste zu sein. Aber als er vor ihm stand, zitterten ihm die Knie. Er sah, wie klein und schwach er war. Lächerlich! Er konnte diesem großen Helden doch nicht helfen!

Beschämt wollte Tom sich wieder nach hinten schleichen. Da sagte der Königssohn: „Doch, Tom, ich kann dich brauchen. Ich brauche keine starken Leute. Nur die Schwachen kann ich mit meinem Feuer füllen. Willst du mit meiner Kraft kämpfen?"

Oh ja, das wollte er. Tom fühlte, wie der Königssohn seine mächtige Hand auf seinen Kopf legte. Da durchströmte es ihn von oben bis unten mit einem Feuer, und dieses Feuer war Freude und Kraft, und es zog ihn

18

unwiderstehlich zum Sohn und zum Vater hin; Tom tanzte und lachte vor dem Thron, wie er das noch nie getan hatte. Und alle tanzten mit, und das Fest war so wunderschön, dass Tom wünschte, es solle nie zu Ende gehen. Oder doch? Er wollte doch kämpfen lernen und mit dem Königssohn ausziehen und auch andere Menschen in dieses herrliche Reich holen. Aber wie sollte er kämpfen? Wo konnte er es lernen? Wo konnte er Waffen bekommen?

Viertes Erlebnis

In der Nacht träumte er. Er sah sich von scheußlichen Wesen mit entsetzlichen Fratzen und scharfen Zähnen umringt, die ihn bedrohten und in Stücke reißen wollten. Er wehrte sich mit letzter Kraft. Aber es war zwecklos. Gerade wollte eine Riesenpranke auf ihn niedersausen, als er schrie. Ein Wort. So laut er konnte. Wie vom Blitz getroffen fielen da all die wüsten Tiere zu Boden, und Tom konnte über sie hinweg nach Hause laufen. Da erwachte Tom. Der Schreck saß ihm noch in den Gliedern. Und ein Staunen. Was war das für ein Wort gewesen, das so stark war, dass es diese gefährlichen Wesen mit einem Schlag besiegen konnte?

Wie gut, dass es schon Morgen war und Tom gleich zum Vater gehen konnte. Noch ziemlich erschüttert von

dem Erlebten kuschelte er sich ganz tief in dessen Arme hinein und erzählte ihm alles.

„Ja", nickte der Vater ganz ernst, „das ist der Feind! Er will dir Angst machen."

Tom schaute ihn erschrocken an. War der Feind so mächtig? Noch schlimmer als die Räuber! Und so in der Überzahl! Mit solchen bedrohlichen Wesen sollte er kämpfen? Nein, auf was hatte er sich da eingelassen! Da richtete der Vater sich auf und stellte den kleinen Jungen vor sich hin. „Tom, du weißt doch, dass ich der König bin. Dass ich alle Macht habe, alle!"

Mit vollster Überzeugung konnte Tom das bejahen, denn er dachte an den Tag zuvor. An den Thronsaal und den Glanz, und dass ihn die Herrlichkeit des Köngis einfach umgeworfen hatte.

Und jetzt stand der Junge vor ihm! Mit seiner Hand holte der Vater weit aus, und seine Stimme war wie ein Donner: „Schau, das alles gehört mir! Ich habe es gemacht und schaffe täglich Neues."

Da sah Tom einen Augenblick lang in unendliche Weiten, die Erde, die Sterne, das Weltall, ohne Ende. Er kam sich so winzig klein vor und fürchtete sich vor diesem gewaltigen König. Dieser jedoch nahm ihn wieder ganz liebevoll auf seinen Schoß und beruhigte ihn: „Tom, du bist trotzdem mein Kind. Ich bin dein Vater! Verlass dich auf mich. Keiner kann dich mir wegnehmen! Zieh meine Liebe an wie einen Mantel. Der wird dich wärmen und schützen."

Da war alle Furcht von Tom gewichen, und er wollte noch eine Weile einfach genießen, als der Vater sagte: „Jetzt geh zu meinem Sohn. Du wolltest doch kämpfen lernen! Tu immer genau das, was er sagt. Dann wirst du Großes vollbringen. Ich bin stolz auf dich, mein Junge!"

Mindestens um einen halben Kopf größer war Tom gewachsen durch die Worte des Königs. Au ja! Kämpfen lernen. Das macht Spaß! Tom wollte gleich losrennen. Dann besann er sich auf seine Würde und schritt etwas feierlicher dem Ausgang zu. Der Vater lächelte und rief ihm nach: „Vergiss nicht, dass ich jeden Tag auf dich warte!"

22

Drüben im Saal saßen schon all die anderen, die sich gestern zum Mitkämpfen gemeldet hatten. „Was tut denn die hier?", fuhr es Tom durch den Kopf. Da gab es überhaupt nicht die Heldentypen, wie Tom sie sich vorgestellt hatte. Ein paar waren noch kleiner als er, andere schienen krank oder behindert zu sein, manche sahen reichlich komisch aus. Und das Allerärgste: Es waren auch noch Mädchen dabei! Was bildeten die sich bloß ein! Kopfschüttelnd ließ Tom sich in gehörigem Abstand von ihnen nieder.

Was der Königssohn wohl zu dieser Schar sagen würde? Tom wartete gespannt auf ihn. Er fror ein wenig auf seinem Stühlchen.

Endlich trat der Sohn herein. Er begrüßte sie alle mit großer Herzlichkeit: „Ich freue mich über jeden, der hier ist und bereit ist, mit mir für mein Reich zu kämpfen. Als erstes habe ich für jeden ein paar neue Schuhe mitgebracht. Die braucht ihr für eure Ausrüstung."

Für Tom war es, als ob nach einem kalten Winter plötzlich der Frühling eingezogen wäre. Seine ganzen Bedenken waren wie weggewischt. Wieder zog es den Jungen so zu ihm hin. Doch er blieb auf seinem Stuhl sitzen und schaute zu, wie der große Königssohn sich vor jedem tief bückte und ihm half, die neuen Schuhe anzuziehen. Dann sprach er mit jedem ein paar Worte und berührte ihn zärtlich, tröstend oder ermutigend. Das berührte auch Toms Herz, und er schämte sich gewaltig, dass er vorher so abfällig über die anderen Kinder gedacht hatte. Ob der Sohn es ihm ansehen konnte? Ob er ihn überhaupt beachten würde – so weit da hinten? Wäre er doch zu den anderen hingesessen! Mit hochrotem Kopf schaukelte er auf seinem Stuhl hin und her, drehte an seinen Knöpfen herum und wartete doch voll Sehnsucht! Endlich kam der Sohn auf ihn zu. Tom konnte ihm nicht in die Augen blicken. Da fühlte er, wie zwei warme Hände sein Gesicht umfassten und nach oben wandten. „Ja, Tom, deine Gedanken haben mir weh getan. Es sind doch meine und deine Geschwister, über die du dich so erhoben hast. Aber ich sehe, dass es dir leid tut. Deshalb habe ich dir schon längst verziehen!" Da konnte Tom ihm in die Augen sehen, und dort fand er so viel Liebe – wie ein unendliches Meer. Der Königssohn nahm Tom in seine Arme, und Tom weinte ganz glücklich und genierte sich nicht mal deswegen! Nach einer Weile fuhr der Sohn fort: „Hier bei uns kommt's nicht auf die Muskeln oder auf den äußeren Eindruck an, sondern aufs Herz! Ob es glüht für mich! Und deines glüht schon ganz schön! – Ich weiß, bei Räubers war das anders. Hier wirst du völlig neu denken lernen." Tom runzelte die Stirn und wollte sich anstrengen. Da lachte der Sohn und sagte: „Keine Angst, ich mach das schon!"

24

Und er strich ihm mit der Hand übers Haar. Da wurde dem ehemaligen Räuberjungen manches klar: Bei Räubers durften nur die älteren, starken Burschen mit zum Kämpfen, das heißt auf einen Raubzug. Und niemals die Mädchen. Die waren zum Putzen und Waschen gut, keiften bloß miteinander, rissen sich an den Haaren und heulten ja sowieso bei jedem Wehwehchen. Hier dagegen konnte man anscheinend jeden gebrauchen.

Jeden? Ja, jeden, dessen Herz „glüht für mich"! Das hatte der Sohn gesagt. Bei Räubers war Tom nie dabei gewesen, weil er noch zu jung und zu schwach war. Aber von weitem – mit gehörigem Sicherheitsabstand – hatte er oft zugeschaut, wie die „Kämpfer" trainiert wurden: Sie mussten laufen, bis sie umfielen, boxen, ringen, fechten … Mit brutaler Härte wurden die jungen Kämpfer von den alten im Nahkampf ausgebildet. Tom hatte sich manchmal die Hand vor die Augen halten müssen, wenn sie sich auf dem Boden wälzten, einander schlimm zurichteten und erst aufgaben, wenn der Räuberhauptmann es befahl. Wie man wohl hier ausgebildet wurde? Wie konnte er trainieren?

Als ob der Königssohn Toms Gedanken erraten hätte, fing er soeben an zu sprechen: „Freunde!", sagte er, „ihr wollt sicher wissen, mit welchen Waffen ihr an meiner Seite kämpfen dürft. Das will ich euch gleich verraten. Ich habe die einzige Waffe, die all das Böse in der Welt besiegen kann. Es ist die Liebe. Sie durchdringt die härtesten Panzer und die dicksten Mauern. Ich bin die stärkste Waffe. Denn ich bin die Liebe. Ich habe den Sieg schon errungen. Doch so wenige Menschen haben das angenommen, dass ich für sie gesiegt habe. Sie können das nicht glauben. Deshalb brauche ich euch. Ihr sollt ihnen meine Liebe zeigen. Und das könnt ihr hier untereinander jeden Tag trainieren. Je mehr ihr einander achtet und einander Gutes tut, desto mehr könnt ihr so werden wie ich. Das ist unser Trainingsprogramm: Nur so könnt ihr wachsen, stärker werden im Kampf und siegen."

Das alles war für Tom schwer zu verstehen, aber eines war ihm ganz wichtig: So werden wie er! Oh, das wollte Tom! Wie er! Wenn er daran dachte, wie sehr der Räuberhauptmann gefürchtet war – dass man ihm am besten nicht unter die Augen kam, denn er war launisch und gemein. Mit Leuten, die ihm nicht passten, machte er kurzen Prozess. Überall, wo er auftauchte, verbreitete er nur Angst und Schrecken.

So ganz anders war sein neuer „Hauptmann" hier. Alle freuten sich, wenn der Königssohn kam, und drängten in seine Nähe. – Was war es eigentlich, das einen so an ihm faszinierte? Tom konnte es nicht in Worte fassen. Aber er wollte es herausbringen. Er musste ihn einfach besser kennen lernen.

Überhaupt – wenn er werden wollte wie er! Wie er?! Ob das möglich war???

Fünftes Erlebnis

Jeden Morgen, gleich nach dem Frühstück, traf sich Toms Kämpfergruppe. Aber nicht zum Krafttraining oder zum Exerzieren! Nein, sie hatten sich vieles zu erzählen und lachten miteinander und sangen mitreißende Lieder für den König. Tom, der bei Räubers nie gesungen hatte, weil es dort keinen Grund dazu gab, machte das immer mehr Spaß. Und dann kam der Köngissohn.

Ganz fröhlich sang er eine Weile mit ihnen. Doch wenn er sich dann setzte und anfing zu erzählen – vom Vater, von seinem Reich und seinen Plänen –, da wurde es mucksmäuschenstill. Tom hätte stundenlang zuhören können! Nicht nur, weil alles so spannend war, so ungeheuer wichtig. Es war auch die Stimme des Königssohnes. Sie war warm und faszinierend – einfach unbegreiflich schön. Jedes Wort tat dem Jungen im Herzen gut.

Eines Tages sagte der Königssohn: „Tom, willst du heute mal mit mir ausreiten? Ich will dir etwas von der Welt zeigen!" Und ob der Junge wollte! Ganz rot vor Eifer kletterte er auf das kleine Pferd, das für ihn bereit stand, und sprengte, so gut er konnte, hinter seinem Herrn her zum Tor hinaus. Es war bloß gut, dass dieser so hell leuchtete, denn hier draußen war es seltsam düster und trübe. Wenn Tom sich an ihn hielt und ganz dicht hinter ihm her ritt, konnte er den Weg und manches Undeutliche klarer erkennen. Zudem fror es ihn dann auch nicht so. Warum war es hier so kalt? Diese Kälte erinnerte ihn an die schlimmen Augenblicke bei Räubers – und an seinen Traum mit den schrecklichen Ungeheuern kürzlich. Tom wollte es genau wissen und fragte seinen Herrn. Dieser meinte: „Hier will ein anderer herrschen. Du weißt, der Feind! Und er verbreitet Dunkelheit, Angst und Kälte. Du wirst heute einiges lernen: Wie er arbeitet – und wie ich siege."

Gerade kam eine Frau ihnen entgegen. Sie trug einen viel zu schweren Rucksack auf ihrem Rücken und ächzte und stöhnte. Der Königssohn stieg vom Pferd. „Darf ich Ihnen helfen? Ich will Ihnen Ihre Last abnehmen! Ruhen Sie sich ein wenig aus!", bot sich der Königssohn an.

Aber die Frau schüttelte den Kopf: „Nein, da kann mir keiner helfen. Das muss ich schon selber tragen. Das hat man mir von Jugend an so beigebracht!"

Und sie schleppte sich weiter. Wieder wollte Tom Genaueres wissen, lief ihr nach und fragte: „Was tragen Sie so Schweres mit sich herum? Was ist denn in Ihrem Rucksack?"

„Meine Sorgen natürlich. Um Mann und Kinder. Um die Verwandten. Um das Geld, die Ernte, die Gesundheit. Um die Zukunft. Man könnte doch krank werden. Oder arbeitslos. Oh, wie schrecklich! …"

Tom schüttelte den Kopf. Unglaublich! Warum hatte die Frau sich nicht helfen lassen? Warum wollte sie ihre Last alleine tragen? Der Königssohn sah ihr traurig nach: „Arme Frau! Ich hätte ihr gerne geholfen. Aber wenn sie

28

nicht wil, kann ich im Moment nichts tun!" Tom kam es vor, als ob es ein wenig dunkler geworden wäre. Und er ließ traurig den Kopf hängen. Da sagte der Sohn: „Tom, es ist nicht alles verloren. Willst du ihr helfen? Dann lege meinen Namen auf sie. Das kannst du tun, obwohl sie von uns wegläuft. Und schau, was geschieht!"

So etwas hatte Tom noch nie getan, aber er wollte ihr doch helfen, und da probierte er es gleich: Er blickte ihr nach und sprach einfach den Namen seines Herrn in ihre Richtung aus. Im gleichen Augenblick konnte er erkennen, dass sich etwas wie eine helle Hand auf sie legte. „Tu das immer wieder, wenn du an sie denkst. Irgendwann wird das Licht dann durch die dunkle Schale dringen!", hörte er seinen Herrn freudig sagen, als sie weiter ritten. Tom lachte. Das war eine feine Sache! Das wollte er noch öfter tun!

Da kamen Kinder daher. Sie hatten sich verirrt und suchten den Weg nach Hause. Sie waren hungrig und müde, und die kleinsten riefen nach ihrer Mama! „Ich weiß, wo ihr hingehört. Geht mir nach, ich zeige euch den Weg!", wollte der Königssohn trösten. Sie blickten auf, sahen seine Helligkeit und schüttelten den Kopf!

„Nein, so was. Das gibt es doch gar nicht! Das muss eine Täuschung sein. Jeder von uns hat gelernt, dass es hier schon lange kein Licht mehr gibt. Dass wir uns in der Dunkelheit zurechtfinden müssen. Dass wir uns ja nicht täuschen lassen dürfen, falls wir mal ein Licht sehen sollten. Dich gibt es ja gar nicht. Du bist nur Einbildung!"

So, ohne Hoffnung, liefen sie weiter. Ganz verzweifelt schaute Tom zu seinem Herrn auf. Dieser nickte traurig: „Ja, es ist schlimm, wie die Menschen der Lüge mehr glauben als der Wahrheit. Sie bleiben lieber im Dunkeln, als dass sie ans Licht kommen!"

Und wieder spürte der Junge, dass es dunkler geworden war. Als Tom den Kindern nachsah, drehte sich ein ganz kleiner Kerl, der mit seinen kurzen Beinchen den anderen nicht so gut folgen konnte, nochmals um und blieb stehen. Tom dachte an das, was er vorhin erlebt hatte und legte ganz heimlich den Namen seines Herrn auf dieses Kerlchen. Und da war wieder etwas Helles. Wie eine Hand, die den Kleinen anfasste und zu ihnen hinzog.

Tatsächlich, das Kerlchen ließ sich ziehen und stolperte auf sie zu. Der Königssohn hatte alles lächelnd beobachtet. Er war vom Pferd gestiegen, ging dem Kleinen entgegen und fing ihn in seinen Armen auf. „Komm, ich bring dich nach Hause!"

Der Kleine schaute ihn mit großen Augen an, lachte und jauchzte vor Freude, als er sich vorne auf das große Pferd setzen durfte. Er war ganz hell geworden. „Tom, bitte warte hier auf mich, bis ich ihn heimgebracht habe. Ich bin gleich wieder da!", rief ihm sein Herr zu und sprengte davon.

„Herrlich", dachte Tom. „Wenigstens der Kleine …!"

Aber Tom kam die Zeit schon ein bisschen lang vor. Überhaupt, wo es hier doch so düster und ungemütlich war. Sicher wollte auch sein Pferd weitertraben, und so ritt er schon mal voraus. Plötzlich hörte er Stimmen. Als Tom näher kam, bemerkte er eine Gruppe von starken Männern, die unter einem Baum zusammensaßen. Sie schrien, lachten und johlten und ließen eine Flasche kreisen. Als sie den Jungen sahen, winkten sie ihn herbei und nahmen ihn in ihre Mitte.

Tom musste an den Feuersaft denken, mit dem die Männer bei Räubers sich damals Mut angetrunken hatten. Eigentlich fühlte er sich geehrt, dass diese Männer hier ihn nicht wie einen kleinen Jungen behandelten, und er setzte sich zu ihnen. Er hörte ihren Witzen zu und versuchte mitzulachen, obwohl er sie gar nicht lustig fand.

„He, gebt dem Jungen was zu trinken! Der ist noch so trübsinnig! Trink das, dann kriegst du Stimmung!", rief der Mann mit dem unrasierten Gesicht neben ihm. Tom zögerte, als der scharfe Geruch des Trankes in seine Nase drang. „Sei kein Spielverderber!", rief einer ihm zu, und sein Nachbar: „Einmal ist keinmal! Probieren schadet nichts!"

Na ja, dann konnte er's ja mal wagen, einen kleinen Schluck! Tom hob die Flasche an seinen Mund.

Da hörte er hinter sich eine Stimme: „Das brauchst du nicht, Tom. Du weißt doch, wo die Freude herkommt!" Er wandte sich um und sah seinen Herrn. Schnell gab er die Flasche weiter, stand auf und stieg aufs Pferd. Das war ja noch einmal gutgegangen! Erleichtert atmete Tom auf und ritt hinter dem Königssohn her. doch das scheußliche Gröhlen der Männer verfolgte ihn noch lange. Und die Erinnerung an die ekligen Gesichter mit den blutunterlaufenen Augen! Wie die ihn angeglotzt hatten – böse, wild, irre! Schrecklich! Tom schauderte. Wie war es bloß dazu gekommen? Ach ja, er hätte auf seinen Herrn warten sollen und war trotzdem losgeritten. Schweigend ritt dieser vor ihm her! Ob er ihm wohl böse war? Nur das nicht, das konnte er nicht aushalten! Am besten brachte er es gleich in Ordnung. Er gab seinem Pferd die Sporen und überholte ihn ein wenig, damit er in sein Gesicht sehen konnte. „Bitte sei nicht böse …!", fing Tom an.

„Schon gut, Junge! Das war hart, nicht wahr?" Er schaute ihn gütig an. „Das sollte dir nicht wieder passieren. Wenn du wüsstest, wer da nach dir greifen wollte! In der Flasche war wirklich Teufelszeug! Und es ist unendlich schwer, davon wieder loszukommen! Zudem bist du auf eine Lüge hereingefallen: Einmal ist eben nicht keinmal! – Aber komm! Lassen wir das. Wir haben noch einiges vor uns."

Und der Sohn legte seine Hand auf Toms Schulter. So ritten sie weiter, wie zwei Freunde.

Nach einer Weile stiegen sie an einer ärmlichen Hütte ab. Durchs offene Fenster sahen sie einen Mann im Bett liegen. Er war ganz allein und so schwach und krank, dass er nicht mehr aufstehen konnte. Mit letzter Kraft hielt er etwas Flaches mit vielen Reihen von winzigen Zeichen in seinen zittrigen Händen und sagte immer wieder die gleichen Sätze. Tom kam es vor, als ob er auf diese Weise jemand um Hilfe rufen wollte. Der Königssohn klopfte an die Tür, und als der alte Mann „Herein" rief, trat er ein und setzte sich an sein Bett. Ganz liebevoll sagte er zu ihm: „Du hast mich um Hilfe gebeten! Ja, ich bin gekommen. Ich will dich jetzt heilen." Der Mann sah ihn ganz erschrocken an: „Nein, nein! Ich muss meine Krankheit ertragen. Das steht in meinem Buch hier: Die Schmerzen und die Krankheit hat mir der König aufgeladen, und ich muss sie ertragen, sonst kann ich nicht zu ihm kommen! Das ist sein Wille! Schau, hier steht es!"

„Schon wieder eine Lüge!", schrie Tom. Er konnte sich nicht mehr zurückhalten. „So gemein ist der König nicht. Mach doch die Augen auf und schau, wer da sitzt! Er will dich wirklich gesund machen!"

„Nein", seufzte der Mann, „das gibt es heute nicht mehr. Leider! Früher, ja, da war so was möglich. Doch das ist schon lange her!"

Aber Tom ließ nicht locker. Und sein Herr hörte ihm sichtlich erfreut zu, wie er dem Alten erzählte, wie gut der König sei, was mit ihm selbst geschehen war, wer den Preis dafür bezahlt hatte. Und was er vom Königssohn wusste.

„Junge, du redest so überzeugt! So hat mir noch keiner vom König erzählt!", wunderte sich der alte Mann. Er schaute den Königssohn lange an.

„Fast könnt ich's glauben ... Aber es lohnt sich nicht mehr. Ich bin schon so alt! Wenn du mir nur Kraft gibst, das noch eine Weile auszuhalten, dann bin ich schon zufrieden!"

Aber der Königssohn lächelte. „Ja, das wäre auch gut. Aber ich habe beschlossen, dass du noch ein paar Jahre ganz gesund leben sollst. Weißt du, ich habe noch etwas Besonderes mit dir vor!"

„Mit mir?", staunte der Alte, und ein glückliches Lächeln trat in seine Augen – das erste seit langer Zeit! „Also gut! Mach mich gesund!", bat er. Und er streckte dem Königssohn seine dünnen Arme entgegen. Dieser reichte ihm beide Hände. Da fuhr etwas wie ein Blitz durch ihn hindurch, so dass er sich aufrichtete.

„Du bist ja wie neu!", rief Tom ganz aufgeregt. Tatsächlich! Der alte Mann stieg aus dem Bett, machte zögernd ein paar Schritte, sah sich seine Glieder an und stellte voll Verwunderung fest, dass sie gesund und kräftig geworden waren. Da schaute er den Königssohn an und dann Tom, und da weinten sie alle drei vor lauter Freude.

„Dass es das heute noch gibt!", staunte der Alte. „Und dass du ausgerechnet zu mir gekommen bist! Das muss ich den Nachbarn erzählen!" – „Ja, auch deshalb bist du geheilt. Damit du weitersagst, was ich tun kann!", stimmte der Königssohn zu. Es war ganz hell geworden in der Hütte.

„Wir zwei müssen noch weiter. Ich habe eine Überraschung für dich!", wandte er sich an Tom.

Ganz begeistert ritt dieser neben seinem Herrn her. War das ein Tag! Was er alles erlebt hatte! Was sein Herr alles konnte! Und dass er, Tom, ihm dabei hatte helfen dürfen!

Sechstes Erlebnis

Ganz klar! Sein Herr hätte das alles auch alleine tun können. Vielleicht viel schneller. Aber es hatte ihm sichtlich Spaß gemacht, mit Tom zusammenzuarbeiten. Warum eigentlich? Einfach, weil er ihn gern hatte! Tom spürte das. Wie einen Freund hatte er ihn behandelt! Als ob er große Stücke auf ihn hielte. Ganz stramm saß Tom im Sattel. War er nicht ein ganzes Stück größer geworden? Wenn ihn jetzt die Räuber sehen könnten! Die würden Augen machen!

Donnerwetter – das Zittern war weg! Bis jetzt hatte es ihn jedesmal gepackt, wenn er an Räubers dachte. So ein eiskaltes Gefühl, das ihn noch eine Weile zittern ließ. Ja, mit einem solchen Freund an der Seite musste er sich vor nichts und niemandem mehr fürchten. Nicht mal vor den Räubern!

Plötzlich musste Tom an Jenny denken. Er sah sie richtig vor sich – mit großen, traurigen Augen. Sie war noch ärmer dran gewesen als Tom. Seit ihrer Geburt war ihr Rücken ganz krumm. Sie konnte nie nach oben schauen. Weil sie so schlimm aussah und überhaupt nichts mitmachen konnte, hatten die anderen Räuberkinder üble Späße mit ihr getrieben.

Nicht einmal vor ihnen davonlaufen konnte das arme Mädchen – oder auf einen Baum klettern, um sich zu verstecken, wie es Tom oft getan hatte. Wenn sie so wehrlos dalag, hatte sie ihn angeschaut, flehentlich! Dieser Blick war sogar in sein Räuberherz gedrungen und hatte irgendwie weh getan. Damals hatte er ihr nicht helfen können. Dann wäre es ihm ja noch übler ergangen! Aber jetzt … Ob es da eine Möglichkeit gäbe? Er musste mit dem Königssohn darüber reden!

Tom gab seinem Pferd die Sporen und holte auf. „Du", sagte er zu seinem Herrn, „ich muss da gerade an ein Räubermädchen denken, an Jenny!"

Der Königssohn nickte lächelnd und meinte, Tom solle sich mal umsehen. So etwas, das war ja unglaublich! Die Gegend war ihm wohlbekannt! Sie waren schon auf dem Weg in Richtung Räuberlager! Ach, das war sicher die Überraschung, von der sein Herr gesprochen hatte. Da hörte Tom ein Wimmern. Es kam aus einer Höhle. Ganz elend und zerlumpt, zitternd und frierend kauerte eine kleine Gestalt auf dem harten Boden. Anscheinend war sonst

keine Menschenseele da. Sicher hatten die Räuber wieder mal für ein paar Wochen die Gegend gewechselt und das kleine Mädchen da gelassen, weil sie ja zu nichts nutze war.

Als Tom und sein Herr die Höhle betraten, schaute sie sich erschreckt um. In ihren großen, dunklen Augen war ein Moment des Erkennens, aber auch viel Zweifel, Furcht und Unsicherheit. „Jenny! Du brauchst keine Angst zu haben. Wir tun dir nichts!", sagte Tom sanft und beruhigend. Und zum Königssohn: „Bitte, hilf ihr! Du kannst es!"

Sie setzten sich zu ihr auf den Boden. „Schau genau hin!", meinte sein Herr und strich Tom mit der Hand über die Augen. Da sah der Junge etwas, was er vorher nicht bemerkt hatte: Es war eine große schwarze Hand, die sich in Jennys Rücken gekrallt hatte und diesen zusammenpresste. Das war ja entsetzlich! Wem gehörte die Hand? Was konnte man da tun? Als ob der Königssohn seine Gedanken erraten hätte, sprach er weiter: „Tom, das hier war ein Fluch, den Jennys Vater bei ihrer Geburt ausgesprochen hat. Weil es ein Mädchen war. Ja, ich will sie heilen. Und du darfst mir dabei helfen. Sprich einfach meinen Namen aus über den Fluch ihres Vaters!"

Tom tat das sofort, denn die Kraft dieses Namens hatte er heute schon einige Male erlebt. Da sah er eine helle Hand über der schwarzen – und plötzlich zerbröselte die schwarze Hand wie Sand. „Jetzt befiehl dem Rücken, sich zu strecken, Tom!", forderte ihn der Königssohn auf. Aber so etwas Verrücktes konnte er doch nicht tun! Hatte er richtig gehört? War das kein Spaß? Er war doch bloß ein kleiner Junge, ein ehemaliger Räuberjunge!

Fragend schaute Tom zu ihm auf, aber sein Herr nickte nur ermutigend. Aber – was sollte er jetzt eigentlich sagen?

„Auf, Tom! Ich bin es doch, der heilt. Du brauchst es nur auszusprechen!", mahnte dieser. Da stotterte Tom sehr leise: „Ddddu sollst dich strecken, Rücken! Mein Herr hat's gesagt." Und rasch fügte er hinzu: „Durch die Macht seines Namens!" Es knackste ein paar Mal in Jennys Knochen. Da, tatsächlich, der Rücken begann sich zu strecken! Ganz langsam, immer mehr, bis das Mädchen ganz aufgerichtet dasaß.

Mit großen Augen sah sie den Königssohn an und dann Tom, den ehemaligen Räuberjungen, der so verändert war. Und dann schaute sie nach oben, wo sie die Bäume vor der Höhle und den herrlichen blauen Himmel zum ersten Mal ohne Schwierigkeiten sehen konnte! Sprachlos richtete sie ihren erstaunten Blick wieder auf den Königssohn. Als dieser ihr die Hand reichte und sie hochzog, blickte sie an sich hinab. Sie war kein Krüppel mehr! Gleich probierte sie aus, was sie nun alles tun konnte: den Kopf

nach hinten werfen, sich drehen und wenden, richtig gehen, ja sogar springen und laufen. Da hüpfte und tanzte sie vor Freude und fiel dem Königssohn in die ausgebreiteten Arme. Der wirbelte sie fröhlich ein paar Mal im Kreis herum. Und dann umarmte sie Tom und sagte nur immer wieder lachend und weinend: „Danke! Danke!"

„Sie darf doch mit uns kommen?", fragte Tom schließlich den Königssohn.

„Natürlich, wenn sie will", meinte dieser.

Mit leuchtenden Augen folgte Jenny den beiden und ließ sich vom Königssohn aufs Pferd heben und in sein Reich bringen.

Dort nahm Tom das Mädchen an der Hand und führte sie gleich zum Vater hinein. Nun weinte der Junge, als er sah, mit welcher Liebe und Zärtlichkeit der König das kleine Mädchen in seine Arme nahm. Lange, lange blieb sie darin liegen und durfte sich erholen, bevor auch sie baden und ein neues Gewand anziehen konnte. Als sie dann die Krone der Königskinder aufgesetzt bekam, staunte Tom nicht schlecht. Was war aus dem Häufchen Elend geworden! Jenny gefiel ihm richtig. Sie war wunderschön! Ganz stolz stellte er sie seinen Geschwistern vor, die ja nun auch ihre neuen Geschwister waren und sie liebevoll begrüßten.

Von jetzt an würde er jede freie Minute mit Jenny verbringen und ihr alles zeigen, was es hier zu sehen gab. Auch wollte Tom ihr alles erzählen, wie man hier lebte und was man wissen musste. Immerhin hatte er ihr ja schon einiges voraus! Jenny stimmte zu. Gerne wollte sie alles lernen, und auch sie war begeistert von der Idee, noch andere Menschen in dieses Königsschloss zu holen. „Das wird 'ne Sache!", freute sich der Junge. „Mit Jenny zusammen wird's noch viel interessanter!"

Siebtes Erlebnis

Doch gleich in den nächsten Tagen wurde er enttäuscht – und fast ein wenig eifersüchtig –, denn Jenny verbrachte ihre Zeit am liebsten auf dem Schoß des Vaters. Sie kuschelte sich tief hinein und schaute ihn einfach bloß an oder hörte ihm mit geschlossenen Augen zu. Nichts war ihr wichtiger! Auf der einen Seite konnte Tom das verstehen. Sie hatte ja sicher viel nachzuholen – bei dem Vater, den sie bisher genossen hatte. Vor dem sie immer nur Beschimpfungen, Spott und Grausamkeiten erfahren hatte. Da war vieles wiedergutzumachen. Das sah Tom ein.

Aber auf der anderen Seite, es war doch höchste Zeit! Man musste doch etwas tun! Jedesmal, wenn Tom durch das große Tor hinausschaute oder auf der Mauer saß und beobachtete, was draußen vor sich ging, drängte es ihn, endlich aktiv zu werden. Die Not und Dunkelheit nahmen ja ständig zu! Hier im Schloss wurde so viel von Kampf und Sieg gesprochen und gesungen. Aber wann ging denn endlich die große Schlacht los?!

Tom wollte bereit sein. So ein Glück, dass er gestern abend am Tor diesen netten Händler getroffen hatte! Der hatte wenigstens Verständnis, dass er als starker Junge nicht immer so untätig hier herumsitzen wollte. Und er hatte ihm ein Schwert geschenkt. Klein und handlich war es, gerade richtig für ihn, hatte der freundliche Mann gemeint. Aber ungeheuer scharf! Und dann hatte er ihm noch etwas geschenkt – ein Ding an einer dünnen Kette, das man sich um den Hals hängen konnte. Er hatte ihm ins Ohr geflüstert, es besäße geheimnisvolle Kräfte und mache den Besitzer zusammen mit dem Schwert unbesiegbar. Allerdings nur, wenn er mit niemandem darüber spreche. Er könne doch ein Geheimnis bewahren?!

„Geht in Ordnung", hatte Tom eifrig genickt. Als er das Ding über den Kopf streifte, fiel seine Krone herab. Geschickt fing der Mann sie auf, steckte sie in die Tasche und meinte ganz lässig: „Die brauchst du jetzt nicht mehr, Junge! Sie ist dir beim Kämpfen bloß hinderlich." Tom verschlug es kurz die Sprache. Mit offenem Mund stand er da und wusste sich nicht zu helfen. Im nächsten Augenblick war der Mann auch schon verschwunden. Nur von Ferne hörte Tom ein seltsames Lachen.

Er schaute sich das Ding genauer an. Alt war es, schwer und klobig. Auf der Oberseite konnte Tom ein Zeichen erkennen. Es sah aus wie ein Tier in einem Kreis. Ob daher die geheimnisvolle Kraft kam? Tatsächlich! Tom fühlte mit einem Male Bärenkräfte in sich wachsen und eine unbändige Lust zum Kämpfen. Gleich morgen früh würde es losgehen. Nichts konnte ihn mehr aufhalten! Jetzt musste er es nur geschickt anstellen, dass ihn niemand dabei erwischte! Unbemerkt war Tom mit seinem neuen Schatz in sein Zimmer geschlichen.

Voller Tatendurst stand er am nächsten Morgen auf. Den Besuch beim Vater und die Kämpfergruppe konnte er wohl heute auslassen. Das ewige Singen ging ihm auf einmal richtig auf die Nerven. Es war so zwecklos! Handeln und Kämpfen war jetzt wichtiger. Und Jenny – die war ja sowieso lieber beim König!

Wie von selbst stand Tom plötzlich am Tor, mit seinem Schwert an der Seite und dem Ding um den Hals. Und als ob er gezogen würde, ging er hinaus. Heute war es aber neblig hier draußen, man konnte keine zwei Schritte sehen. Von Ferne meinte er ein Lachen zu hören, fast wie gestern abend, als der Händler davongezogen war. Aber nein, war es nicht eher ein Rufen, ein Schreien? Sicher brauchte jemand Hilfe.

Gut, dass er das Schwert und das Ding hatte! Jetzt konnte er sie gleich gebrauchen! Tom eilte, so schnell er konnte, in die Richtung, aus der das Schreien kam. Schrecklich war es! Da musste wirklich jemand in großer Not sein. Wenn er in diesem Nebel nur besser vorankäme! Fast wie ein Blinder musste der Junge sich vorwärtstasten. Nur zu dumm, dass er seine neuen Schuhe zu Hause gelassen hatte, um besser wegschleichen zu können. Was waren das für spitze Steine hier! Seine armen Füße! Einige Male stolperte er über Baumwurzeln, blieb an Dornenranken hängen, riss sich los und rannte weiter. „Au! Zum T…! Auch das noch!"

Er war gegen einen hervorstehenden Ast gerannt. Der traf ihn mitten ins Auge. Das tat grässlich weh! Es brannte wie Feuer, und er konnte sein Auge gar nicht mehr aufmachen. Schützend deckte er es mit der linken Hand zu. Da spürte er, wie etwas Warmes, Flüssiges zwischen seinen Fingern durchsickerte. Tom hätte am liebsten losgeheult. Aber das passte doch nicht zu einem Helden! Er biss seine Zähne zusammen und sagte sich, dass er jetzt nicht aufgeben und keine Schwäche zeigen dürfte. Er musste doch jenem armen Menschen helfen! Genau in dieser Richtung musste er sein, ganz in der Nähe. Er nahm wohl am besten gleich sein Schwert in die Hand, dann konnte ihn nichts überraschen. Er war ja unbesiegbar – hatte der Mann gesagt. Also los, vorwärts! Oh! Was war das?! Er verlor den Boden unter den Füßen und rutschte ab. Der Hang war ganz glitschig, Tom fand keinen Halt und sauste in die Tiefe. Der Junge

war starr vor Schreck. Wie tief es wohl noch runterging? Was lauerte da unten auf ihn, in der dunklen Tiefe? Plötzlich landete er, sogar ganz weich. Es war ein Sumpfloch, kalt und eklig. Bis auf Brusthöhe steckte er drin und fand keinen festen Boden unter den Füßen. Unheimlich, das Gefühl, in den nächsten Minuten immer tiefer sinken zu müssen.

Im Dunkeln ertastete er etwas Festes neben sich. Es war wohl ein toter Baum, der neben ihm lag. Daran konnte er sich festhalten. Das war noch mal gut gegangen! Aber – wo war sein Schwert? Nein, das brauchte er unbedingt! Er hielt sich mit einem Arm fest und suchte mit dem anderen.

Oh, da lag es ja, genau neben ihm, als ob es da jemand hingelegt hätte. So ein Glück! Erleichtert steckte er es zurück in die Scheide, ruhte sich noch ein paar Augenblicke lang aus, zog sich dann hoch und kletterte auf den Baumstamm, auf dem er dem festen Boden zukroch.

Wo war er? Er hörte ein seltsames Zischen vor sich. Als er aufblickte, sah er Augen auf sich gerichtet – und beim nächsten Zischen kam etwas wie roter Feuerrauch auf ihn zu. Schrecklich, was er im Schein dieses Feuers sehen musste – den Kopf einer Riesenschlange! Und das Schlimmste war: Er war wie angewachsen! Er konnte nicht davonrennen! Die Macht ihrer Augen hielt ihn fest. Er musste sie anschauen. Ihr grässlicher Kopf bewegte sich immer näher auf ihn zu, und er konnte nicht fliehen. Das Zischen wurde immer deutlicher – es war ihm, als zischte sie: „Du bissssst mein! Du bissst mein!"

„Nein!", schrie Tom aus Leibeskräften. Da lachte die Schlange – es war wie ein Kichern –, aber es war bedrohlich, jeder Ton tat weh. Und schon spürte Tom, wie sich der stachelige Schwanz der Schlange um seine Füße schlang, hart wie Eisen.

Die Schlange fing nun an, ihn zu umkreisen, und umschlang den Jungen immer höher. Sie würde ihn erdrücken! Aber seine Arme waren noch frei, und als die Schlange bei der nächsten Windung gerade mit ihrem Kopf hinter ihm war und ihre Augen ihn nicht mehr direkt bannen konnten, zog er schnell sein Schwert und hieb, so fest er konnte, auf den Schlangenkörper ein! Ach …! Das Schwert zersplitterte wie Glas – und übrig blieb ihm nur der rostige Knauf in seiner Hand! Nun war er verloren! Er konnte sich nicht mehr wehren. Nur noch schreien! Aber wer sollte ihn hier hören? Wer könnte ihm in dieser schlimmen Lage noch helfen?

Hmh, hatte er dies nicht schon einmal erlebt? Doch – damals im Traum! Da hatte er ein Wort geschrien, einen Namen. Der hatte ihn gerettet. Aber was für ein Name? Er hatte ihn vergessen! Er war weg, total weg, der Name. Da schrie Tom einfach drauf los, so laut er konnte: „Hiiilfe!!" Aber die Antwort darauf war vernichtend – denn nun kam das Zischen von allen Seiten. Mit Grauen sah Tom noch viele andere grell-rote Schlangen auf sich zukriechen. Und ringsum zischte es: „Du gehörst unssss! Du gehörst unsss!"

Es war wie ein Tanz, ein Totentanz. Tom war nur noch blankes Entsetzen. Dann gab er auf. Das war jetzt wohl sein Ende!

Doch plötzlich wurde das grässliche Zischen um ihn herum gestört – ein anderer Ton war zu hören, ein heller, fast kindlicher. Immer näher kam der Ton – nein, es war ein Lied. Den

45

Schlangen wurde es sichtlich ungemütlich, sie verstummten und zogen sich zurück. Nur die Riesenschlange hielt ihn noch umschlungen. Aber auch sie hörte auf, ihn zu umkreisen und blickte ganz starr in die Richtung, aus der das Lied kam. Tom wollte seinen Augen nicht trauen: Zwischen den Bäumen konnte er ein kleines Mädchen sehen, das singend immer näher kam. Es war Jenny! Tom wollte sie warnen und schrie: „Jenny, komm nicht näher! Lauf schnell davon und rette dich!" Da hatte sie ihn entdeckt – was von ihm noch sichtbar war –, aber sie lief nicht davon, sondern kam singend näher, Schritt für Schritt. Seltsam, die Schlange bewegte sich nicht. Wie vorher Tom durch ihre Augen, war diese nun gebannt durch Jennys Lied. Sie zischte nur noch: „Du bist mein! Du trägst ja mein Zeichen!"

Da hatte Jenny begriffen, und sie rief: „Tom, das Ding! Wirf es weit von dir!"

Sein Ding? Seinen Schutz, der ihn doch unbesiegbar machen sollte? Nun ja, das Schwert war auch nichts wert gewesen. Ob das alles Schwindel war? Entschlossen riss er sich das Ding vom Hals und schleuderte es in den Sumpf. In diesem Moment konnte er aufatmen. Der Leib der Schlage war ganz schlaff geworden, und der Druck um Toms Körper ließ nach.

Erstaunt beobachtete Tom, wie Jenny als nächstes der riesigen Schlange furchtlos in die Augen blickte und nur ein Wort aussprach. Das war es! Das war der Name, der Tom entfallen war, nach dem Tom vergeblich gesucht hatte. Er kannte ihn gut: Es war der Name seines Herrn! Und wieder konnte Tom dessen gewaltige Macht kaum fassen: Wie vom Blitzschlag getroffen fielen Kopf und Vorderteil der Schlange zu Boden. Das war ihr Ende.

Doch wie sollte er hier herauskommen? Aus diesem stachligen Berg von Fleisch, der ihn immer noch umgab? Wieder wusste Jenny weiter. Sie hatte ein kleines Schwert bei sich, fast zierlich, mit einer blutroten Klinge. Aber es musste ungeheuer scharf sein, denn mit einer Leichtigkeit hieb sie den riesigen, ekligen Leib der Schlange durch – alles, was sich um ihn gewickelt hatte –, so dass Tom wie durch eine Gasse hinaustreten konnte. Er dachte nur noch: „Fort von hier!"

Achtes Erlebnis

Ringsum war es still geworden. Jenny nahm Tom an der Hand, und lange gingen sie schweigend zwischen den Bäumen hindurch den Pfad nach oben in die Richtung, aus der Jenny gekommen war. Das Mädchen schien den Weg mit großer Sicherheit zu kennen. Als sie am oberen Ende der Schlucht angekommen waren, hatte sich der Nebel verzogen. Tom war total erschöpft, sein Auge und alles tat so weh, von der Hüfte abwärts bis zu den Fußsohlen. Auch innendrin war er wie zerschunden, zerquetscht, einfach fertig. Er warf sich ins Gras und konnte nur noch heulen …

Das Mädchen saß still neben ihm und wartete. Als er ruhiger wurde, strich sie ihm die Haare aus dem Gesicht. „Armer Tom!", sagte sie mitfühlend, „was hast du durchgemacht! Wie hat dich das Untier zugerichtet! Wie konnte das alles passieren?"

Ja, wie hatte es eigentlich angefangen? Wohl mit dem Schwert und dem Ding: So ein Schwindel! Warum war er nur auf diesen geschniegelten Kerl hereingefallen? Tom schlug sich mit der Hand gegen die Stirn. War er denn blind gewesen? Der hatte ihn ja schön übers Ohr gehauen! Übers Ohr? Nein, der hatte noch Schlimmeres im Sinn gehabt! Tom musste plötzlich an das Lachen denken. Ob die Hilfeschreie überhaupt echt gewesen waren? Oder war das eine Falle gewesen? Eine ganz gemeine Falle, in der er, Tom, fast umgekommen wäre! Ihn schauderte …

Ganz erschüttert schaute er nun Jenny an und begann zu staunen: Ausgerechnet dieses kleine, schwache Mädchen hatte ihn gerettet! Unfassbar! Wieso hatte sie keine Angst gehabt? Wieso hatte sie überhaupt gewusst, dass er in Gefahr war? Woher hatte sie das Schwert, die Sicherheit, den Mut?

Da fing sie an zu erzählen: „Ich war beim Vater. Lange. Es war so schön bei ihm, wie immer. Auf einmal hat er mich gefragt, ob ich für seinen Sohn einen Auftrag erledigen wolle. Natürlich bin ich gleich voll Begeisterung zum Königssohn gegangen, und der hat gesagt, du seist in Gefahr, und ich solle dich rausholen. Bevor ich ihm erwidern konnte, ich sei doch so schwach und unerfahren, überreichte er mir ein Schwert. Die Klinge war rot, wie von Blut, und ich bin so erschrocken. „Blut …?" Ich schaute ihn fragend an. „Mein Blut!", antwortete er, und zwar auf eine Art, dass ich nichts weiter zu fragen wagte. Er erklärte mir, dass ich eine mächtige Waffe für meinen Auftrag brauchen würde. Dieses Schwert zusammen mit seinem Namen seien stärker als alles in der Welt. Ansonsten brauche ich keinen Schild oder Helm. Ich sei ein Königskind, und meine Krone sei der Helm. Ich solle meine neuen Schuhe anziehen und als Rüstung einfach die Königslieder singen, die ich schon kenne. Davor hätten all seine Feinde Angst. Dann hat er mir den Weg gezeigt und gemahnt, es sei höchste Zeit. Da bin ich losgelaufen. Bis ich dich gefunden habe."

Tom liefen die Tränen über die Wangen, als er vom Vater hörte und von dem, was der Sohn für ihn getan hatte. Sein Blut – für ihn, der heimlich Dinge getan hatte, die er nicht wissen durfte; für ihn, der von der anderen Seite Hilfe angenommen hatte, vom Feind selber! Ein schöner Held war er! Dumm und zu nichts zu gebrauchen! Er hatte alles falsch gemacht – und sogar seine Krone hatte er dabei eingebüßt! Schluchzend warf er sich wieder ins Gras und weinte bitterlich.

Jenny schlug vor, sie sollten doch gleich nach Hause zum Vater gehen, der würde ihn heilen.

Aber Tom stand nicht auf. Er konnte nicht. Oder wollte er nicht? So durfte er doch nicht vor den König treten. Er hatte ja seine Krone nicht mehr! War er überhaupt noch sein Kind?

Durfte er denn wieder zurück in sein Schloss kommen? … Und was würden die anderen sagen? Wie musste er sich vor ihnen schämen! Sicher wollte auch Jenny solch einen Versager nicht mehr zum Freund haben. – Wo war sie überhaupt?

Als Tom suchend aufschaute, sah er von Ferne eine große, helle Gestalt auf sich zueilen. „Das ist ja mein Herr! Er kommt mir entgegen?", staunte Tom, sprang auf seine Füße und rannte und rannte – in dessen ausgebreitete Arme hinein. „Mein Junge!" Das war alles, was der Königssohn sagte. Doch Tom hatte verstanden, ganz tief innen: dass er diesem Herrn für immer gehörte. Dass dieser ihn nie im Stich lassen würde. Dass er ihn aus allen Gefahren retten würde, weil er unendlich stark war – und weil er ihn, Tom, unendlich lieb hatte. Das spürte er und ließ sich ganz hineinfallen in diese Liebe.

Eine ganze Weile genoss der Junge so die Geborgenheit bei seinem Herrn; Jenny, die ihn herbeigeholt hatte, schaute strahlend zu. „Komm zum Schloss, Tom", sagte der Königssohn schließlich, „dort will ich mich um deine Wunden kümmern." Am liebsten hätte der Junge sich von seinem Herrn tragen lassen wie ein kleines Kind, aber vor Jenny genierte er sich ein wenig und hinkte mühsam hinter den beiden her nach Hause.

Es war inzwischen Abend geworden. Im Schloss angekommen, legte sich Tom gleich ins Bett. Die anderen waren gerade beim Essen. Gut, dass sie ihn nicht sahen, so schmutzig und zerrissen. Der Königssohn brachte ihm einen Teller voll Suppe. Hmmh! Wie die dem Jungen schmeckte! Lächelnd wartete der Königssohn, bis Tom den letzten Rest ausgelöffelt hatte und sich zufrieden in sein Kissen zurücklegte.

Dann stellte er ihm eine Frage. Nicht: „Warum bist du heimlich davongelaufen?" oder: „Meinst du nicht, dass ich besser ent-scheiden kann, wann es Zeit ist zum Kampf?" oder: „Wie kannst du bloß den Waffen eines anderen mehr vertrauen als den meinen?" Nein, sein Herr fragte ihn einfach: „Vertraust du mir, Tom?"

Aus tiefster Seele konnte Tom „Ja" sagen, und er fügte hinzu: „Für dich würde ich alles tun! Ich habe dich schrecklich lieb! Nie wieder will ich einem anderen folgen!"

„Danke!", freute sich der Königssohn und strich mit der Hand über Toms verletztes Auge, seinen Körper und seine Beine bis zu den wundgelaufenen Fußsohlen: Augenblicklich schlossen sich seine Wunden, und die Schmerzen waren wie weggeblasen. „Das ist nicht alles, Tom, was ich heute an dir heilen will. Weißt du, in dir ist noch etwas, das mit schuld daran ist, dass dir das alles passiert ist. Mach mal deine Augen zu und schau in dich rein. Ich will es dir zeigen."

Mit geschlossenen Augen sah Tom auf einmal den Räuberwald, die kalte Höhle, davor ein kleines Kind, einen Jungen. Das war ja er selber! Tom wusste es ganz sicher. Eben war er von einem etwas größeren Jungen verprügelt worden, da hörte er die dröhnende Stimme des Räuberhauptmanns und das rauhe Lachen seiner Gesellen. „Der Schwächling! Der wird nie ein richtiger Räuber!" Tom erlebte wieder, was er als kleiner Junge bei diesen Worten gefühlt hatte, und erkannte, dass er sich damals innerlich geschworen hatte: „Ich werd's euch zeigen! Ich werde ein Held! Dann will ich mich rächen!"

52

Seltsam! Bei den Worten des Räuberhauptmannes war es, als ob ein langer, dunkler Stachel von oben nach unten in sein Inneres hineingefahren war, der ihn mit eiserner Gewalt niederdrückte und ihm wie mit einer Stimme immerfort „Schwächling! Schwächling!" zuflüsterte. Und bei seinen eigenen Worten waren von unten herauf drei dunkle Stacheln in ihn hineingefahren, stellten sich um den ersten herum und zerrten sein Inneres, all seine Gedanken und Gefühle nach oben und redeten ihm ein: „Zeig's ihnen! Zeig's ihnen! Du musst ein Held sein! Du musst ein Held sein! Räche dich! Räche dich!" – Nun kamen andere Szenen aus seinem Leben. Jedesmal sah er sich in der verzweifelten Lage, sich als Schwächling zu fühlen und ein Held sein zu müssen, anderen seine Überlegenheit zeigen zu müssen. Nie durfte er es sich leisten, schwach zu sein, überhaupt er selber zu sein. Immer waren diese Stimmen da und stachelten ihn an.

„Siehst du, Tom, was dich daran hindert, ein rechter Kämpfer in meinem Dienst zu sein?! Es sind drei Dinge! Erstens: Wenn du selber ein Held sein willst, vertraust du auf deine eigene Kraft und taugst deshalb nichts in meinem Reich. Zweitens: Wenn du dich selbst einen Schwächling schimpfst, lügst du. Denn du bist ein Kind des Königs und wirst siegen. Drittens: Solange du noch irgend ein Rachegefühl in dir

hast, passt du nicht zu uns. Für mich darfst du so nicht streiten, denn das alles sind Tore, durch die der Feind in dich eindringen und meine Pläne mit dir zerstören kann. Du willst doch für mich kämpfen? Willst du diese Zwänge loswerden, diese Stacheln?"

Was für eine Frage! Natürlich. „Bitte gleich jetzt!", flehte Tom ihn an.

„Gut. Also lass deinen Racheschwur los, gib ihn mir und verzeih den Räubern alles, was sie dir angetan haben!"

Verzeihen? Alles? Die Schläge, den Spott, all die Ungerechtigkeit und Grausamkeit? Das war zuviel verlangt! Aber wenn sein Herr es so wollte – ihm zuliebe wollte er es tun. Doch er schaffte es nicht. Es war zu schwer. Sein Mund wollte ihm einfach nicht gehorchen, und in seinem Inneren schrie alles: „Was bist du dann noch? Gar nichts!" – Ganz verzweifelt schaute Tom den Königssohn an. Dieser spürte den Kampf, der in dem Jungen tobte, und half nach: „Du kannst es nicht! Aber denk an die Macht meines Namens!"

Wie ein Rettungsseil ergriff Tom diesen Ratschlag und begann: „Im Namen meines Herrn …"

Da konnte er auch den Rest aussprechen. Er konnte alles hergeben, seinen Schmerz, seine Selbstverachtung, seine Rachegelüste und seinen Ehrgeiz. Als er damit fertig war, legte ihm der Königssohn die Hände aufs

Herz, und ihm war, als ob dieser ihm alle vier Stacheln aus seinem Inneren herauszöge. Was blieb, waren Wärme und Frieden. Eine unbändige Freude ergriff ihn. Fröhlich sprang er aus dem Bett. Alle Schlappheit und Erschöpfung waren gewichen. Er fühlte sich, als ob er kaputt gewesen und jetzt wiederhergestellt sei. Er machte einen Luftsprung, und sein Herr fing ihn auf. In diesem Moment hatten sie beide die gleiche Idee: „Komm zum Vater! Das muss er sehen! Er wartet sicher schon." Hand in Hand eilten sie lachend zum König, der Königssohn und sein kleiner Bruder Tom.

Neuntes Erlebnis

Als die beiden sich dem Thronsaal näherten, öffneten sich dessen riesige Flügeltüren wie von selbst. Tom erschrak, denn im Saal sah er riesige Gestalten, von denen ein unbeschreiblicher Glanz ausging. Nein, da traute er sich auf keinen Fall hinein! Der Königssohn bemerkte sein Zögern. Er wandte sich um und sagte zu Tom: „Keine Angst! Du gehörst zu mir!" Dann betrat er den Saal. In diesem Augenblick warfen sich alle diese Mächtigen vor dem Königssohn zu Boden, und es war eine große Stille. Tom versteckte sich hinter seinem Herrn in den Falten seines Gewandes und folgte ihm nach vorne.

Aber weit kamen sie nicht, denn vom Thron her kam ihnen der König entgegen. Mit einem Freudenschrei umarmte er den Sohn und wollte mit ihm zusammen auch Tom umarmen – den kleinen, elenden nutzlosen Räuberjungen, der so vieles vermasselt hatte! Wenn er doch im Boden verschwinden könnte! Und doch wollte er sich so gerne in die Arme des Vaters fallen lassen – es war sein sehnlichster Wunsch. Aber er konnte nicht. Er stand da, steif wie ein Stock, den Kopf gesenkt, die geballten Fäuste in den Taschen. Traurig, aber liebevoll, hörte er den Vater fragen: „Was ist los, Tom? Warum nimmst du meine Liebe nicht an?" Mit hochrotem Kopf stotterte Tom: „Ich bbbin doch davongelaufen! Ich habe meine Krone nicht mehr! Ich … bin nicht mehr dein Kind!"

Da sprach der König: „Tom, du bist und bleibst mein Kind! Mein Sohn hat dir verziehen. Damit ist zwischen uns und dir alles in Ordnung. Nur etwas fehlt noch: Du musst dir selber vergeben."

Sich selber vergeben? Noch nie gehört! Tatsächlich – die ganze Zeit hämmerte es in seinen Gedanken: „Wie konnte ich nur? Wie konnte ich nur? Wie konnte ich nur?" Bittere Tränen liefen über sein Gesicht, als er daran denken musste, was er getan hatte. Doch der Sohn legte seinen Arm um Toms Schulter und half nach: „Merkst du, wie du deine Schuld immer noch festhältst? Komm, gib mir auch noch deine ständigen Vorwürfe gegen dich selbst, lass sie los! Bei uns darfst du auch etwas falsch machen. Wir lieben dich trotzdem!" Tom blickte nach oben und sah in drei leuchtende Gesichter, die ihn voller Güte ansahen. Trotzdem fiel es ihm nicht leicht. Doch

schließlich druckste er heraus: „Ja, ich vergebe mir selber."

Im nächsten Augenblick waren die Stimmen in seinem Innern verstummt. Doch die Stimmen aller im Thronsaal jubelten auf, als der Sohn jetzt etwas Goldenes aus den Falten seines Gewandes zog und Tom aufsetzte. Es war jene Krone, die der üble Kerl ihm abgenommen hatte. Juhu! Er war wieder ein Königskind! Alle konnten es nun sehen! Sein Herr war stärker als der Feind! Er hatte Toms Krone zurückgeholt! Tom klatschte und hüpfte vor Freude. Da neigten sich sogar die Mächtigen herunter und tanzten fröhlich mit dem Jungen.

Dann lief er zum Thron, auf den sich inzwischen der König und sein Sohn gesetzt hatten. Sie streckten Tom ihre Arme entgegen – da wurde er wieder, wie schon einmal, mit großer Kraft zwischen den Vater und seinen Sohn hineingezogen. Es war wie ein Wirbel, ein Strom, ein Feuer, eine unbeschreibliche Freude. So schön, aber auch so stark, dass Tom meinte, er könne es nicht mehr aushalten, er müsse darin untergehen. Doch er überließ sich all dem, bis er sich nach einiger Zeit auf dem Schoß des Vaters wiederfand. Sie waren nun ganz allein. Der Vater lächelte. Tom konnte nichts sagen, nur staunen. Irgendwie hatte es ihm die Sprache verschlagen. Aber es war auch gar nicht nötig, denn der Vater sprach weiter: „Ich sehe, du hast viele Fragen auf dem Herzen. Manche will ich dir heute beantworten. Das Wichtigste zuerst: Du warst die ganze Zeit mein Kind. Auch, als du die Krone verloren hattest. Das steht dir unauslöschlich auf die Stirn geschrieben. So lange du willst, bleibst du mein Königskind. Allerdings wurde durch das Ding, das dir angeblich Glück bringen sollte, unser Siegel überdeckt. Deshalb hatte der Feind gewisse Macht über dich. Deine Krone ist übrigens nur hier bei uns sichtbar. Sie ist das äußere Zeichen für das, was in deinem Innern brennt und leuchtet – ein Stück von mir. Es wird dich immer heller machen, bis du mir ganz ähnlich bist."

Ihm ähnlich? Königlich? Nicht mehr räuberlich? Tom musste an seine Stacheln denken, an seine Rachsucht, sein Held-sein-Müssen. „Werd ich jetzt nie mehr groß sein wollten?" – „Tom, du bist jetzt frei von den Stacheln. Niemand kann dich mehr zwingen. Aber manches in dir will noch eine Weile auf den alten Geleisen laufen. Doch mein Feuer in dir ist stärker. Damit kannst du den Feind besiegen."

Da leuchteten Toms Augen auf. Doch der Vater sprach weiter: „Wenn du hörst ‚den Feind besiegen', da denkst du an große Schlachten. Die sind auch mal dran, glaube mir. Aber zuerst kommt das Training, das ist doch klar. – Ich freue mich über deinen Eifer und deine

Hilfsbereitschaft. Ich weiß, du wolltest dem Menschen, der da so geschrien hat, helfen. Aber, glaube mir, ich überhöre keinen einzigen Schrei auf der ganzen Welt! Ich weiß, wann und wie einem Menschen geholfen werden muss. Lauf also nie wieder von alleine los, ohne einen Auftrag von mir oder meinem Sohn zu haben. Das schadet eher mehr, dir und dem Hilfesuchenden. Tom, willst du dir das merken und immer erst rückfragen, bevor du etwas unternimmst?"

Ob er das schaffen würde? Tom kannte sich doch nur zu gut! Aber vernünftig war's wohl schon. Der König war doch so viel gescheiter und mächtiger als er. Wenn dieser hinter ihm stand, würde er nie umsonst kämpfen müssen. Ja, er wollte wirklich nichts mehr ohne ihn tun. „Du wirst es schaffen, Tom. Du bist, weil du mein Kind bist, auch stärker als alle deine alten Gewohnheiten. – Doch schau, der Morgen ist angebrochen. Zeit zum Frühstück! Lass dir's schmecken!"

Ja, wirklich, Tom hatte einen Riesenhunger. Aber seltsam, obwohl er in dieser Nacht überhaupt nicht geschlafen hatte, war er kein bisschen müde. Und so eilte er zum Frühstück.

Schon von weitem drang ihm der herrliche Duft des frischen Brotes in die Nase. Die Kinder hatten eben Platz genommen. Doch als sie Tom hereinkommen sahen, sprangen sie auf, umringten ihn und begrüßten ihn ganz herzlich. Er wunderte sich, denn es war ihm, als ob er seine Kameraden, seine Geschwister mit neuen Augen sehen könnte. Denn bisher hatten sie ihn wenig interessiert. Nun wollte er sie näher kennen lernen. Ja, wirklich, es waren prachtvolle Menschen. Und irgendwie waren sie größer geworden. Da fiel sein Blick auf Jenny. Sie strahlte ihn an! Ob sie den anderen alles erzählt hatte? Sicher nicht, denn diese fragten ihn gerade bewundernd, was denn mit ihm geschehen sei, es sei so viel Glanz in ihm. Und wieder wunderte sich Tom, denn obwohl seine Geschichte ja für ihn schon reichlich peinlich war, versprach er, ihnen später von seinem Abenteuer zu erzählen. Nein, er genierte sich kein bisschen, und nach dem wunderbaren Frühstück, als er wirklich rundum satt war, erzählte er allen ganz offen, was er erlebt hatte. Und keiner lachte über ihn oder schüttelte den Kopf. Auch sie hatten schon Ähnliches erlebt – und mussten zugeben, dass sie dabei viel gelernt und seither ihren Herrn noch viel lieber hatten.

Doch dann war's Zeit für die Kämpfergruppe. Tom freute sich auf seinen Herrn, auf die anderen, auf das Singen. Wie schön, dass er da mitmachen durfte! Und er wollte jetzt wirklich geduldig sein und abwarten, bis sein Herr ihm einen Auftrag gab. Doch ausgerechnet diesmal gab's eine Überraschung! Der

Königssohn meinte, sie hätten inzwischen schon einiges gelernt und sollten das einfach mal anwenden. Er wolle sie zu zweit hinausschicken, auf jeden warte draußen eine Aufgabe. Das war eine Aufregung! Die einen freuten sich, dass sie endlich etwas unternehmen durften. Die andern trauten sich noch nichts zu und hätten lieber noch etwas abgewartet.

Aber als der Königssohn jedem seinen Partner gezeigt und ihnen gesagt hatte, wohin sie jeweils gehen sollten, kam etwas mehr Ruhe in die Schar. Gespannt blickten sie ihn an. Der Königssohn erklärte noch, um was es ging: Sie sollten den Menschen draußen vom König und seinem Reich erzählen und seine Macht beweisen. Viele von ihnen würden neue Geschwister mit ins Schloss bringen.

Zum Abschied legte er jedem die Hände auf den Kopf, und dann gab er ihnen noch etwas mit. Es war klein und handlich und sah aus wie eine Muschel. „Wenn ihr draußen seid, egal wie weit weg, soll euch dieses Gerät dienen. Damit könnt ihr direkt mit mir in Verbindung treten, wenn ihr Rat oder Hilfe braucht. Ihr müsst auch nicht lange erklären, was los ist. Sprecht einfach wie ein kleines Kind hinein, dann hören wir sofort und wissen Bescheid."

Fragend blickten die Kinder ihn an. Wie ein kleines Kind? Das kann doch noch gar nicht richtig sprechen? Einige kicherten, andere dachten, sie seien doch schon darüber hinausgewachsen. Der Sohn lachte: „Ihr habt doch gelernt, dass es bei uns gut ist, nicht selber stark, sondern klein und schwach zu sein, damit unsere Kraft durch euch wirken kann. Hier könnt ihr zeigen, dass ihr das verstanden habt. Also, einfach losbabbeln!" Da lachten sie alle. Tom hätte es gar zu gerne gleich ausprobiert, irgendwie schien das eine feine Sache zu sein. Wie das wohl funktionierte? Aber zunächst bedankte er sich noch bei seinem Herrn, weil dieser ihm seinen geheimen Wunsch erfüllt hatte. Er gab ihm nämlich Jenny als Partnerin mit. Die kannte er einfach am besten. Die beiden freuten sich riesig und zogen gleich los.

Zehntes Erlebnis

Als sie auf dem heißen, ausgetrockneten Weg ein Stück gewandert waren und sich gerne ein wenig im Schatten ausgeruht hätten, gerade da hörten sie ein Stöhnen. Am Wegrand lag ein alter Mann vor einer Felswand in der prallen Sonne. Sein Bein war unter einem riesigen Felsbrocken eingeklemmt, so dass er sich nicht mehr rühren konnte. Wie lange der Arme hier wohl schon gelegen hatte? Jenny lief gleich zu ihm hin, doch Tom nahm rasch das kleine Gerät aus der Tasche und sprach ein paar Silben hinein.

Tatsächlich, gleich im nächsten Augenblick hörte er die Stimme seines Herrn: „Ja, Tom. Ganz klar darfst du hier helfen. Deswegen habe ich euch zwei ja ausgesandt!"

Jenny hatte sich inzwischen neben den Alten hingestellt, so dass wenigstens sein Kopf im Schatten lag. Sie scheuchte die Fliegen weg, die auf seinem verkrusteten Gesicht und Bart hockten. „Lauf schnell, Tom, und hole Wasser! Der arme Mensch ist am Verdursten!" Mit ein paar Farnwedeln fächelte sie ihm Luft zu, bis Tom endlich keuchend und verschwitzt mit einer Flasche Wasser aus dem Schloss kam. Gerade öffnete der Mann die Augen und schien zu erwachen. Da hob Jenny seinen Oberkörper etwas hoch und gab ihm in kleinen Schlückchen zu trinken. Dann fiel er wieder in Ohnmacht. Jenny legte ihn behutsam auf den Boden zurück und wusch ihm mit dem Rest des Wassers die dicke Schmutzschicht aus dem Gesicht. Und was sie vorher schon geahnt hatte, wurde jetzt zur Gewissheit. Sie konnte seine Züge erkennen: Diese Jammergestalt war ihr Räubervater! Bleich und erschüttert flüsterte sie es Tom ins Ohr. Der war ratlos. Wieder nahm er das Gerät zur Hand und fragte, das heißt, er sagte wieder nur ein paar Worte in der Kindersprache. Sofort kam die Antwort: „Vergeben, dann meinen Namen auf ihn legen!"

Aber zunächst musste doch der Felsbrocken weg, sagte sich Tom. Und er stemmte sich mit aller Kraft dagegen. Aber so sehr er sich auch anstrengte, er schaffte es nicht. Plötzlich hörte er Jenny etwas sagen und fiel fast über den alten Mann – der Stein war ins Rollen gekommen. „Was hast du eben gesagt?", fragte Tom.

„Ich habe gesagt, dass ich ihm alles vergebe, was er mir angetan hat. In diesem

Augenblick hat sich der Felsbrocken bewegt!", lachte Jenny. Doch gleich wurde sie wieder ernst, als sie das zerquetschte Bein des Alten sah: Er würde nie mehr gehen können. Und er hatte sehr viel Blut verloren. Da war wohl nichts mehr zu machen!

Doch – was hatte der Königssohn gesagt? Ja, sein Name! Tom wusste Bescheid! Also knieten sie sich auf beiden Seiten des alten Mannes nieder, legten ihre Hände auf das Bein und sprachen den Namen ihres Herrn aus – genau, wie Tom es gelernt hatte. Zunächst rührte sich gar nichts. Aber da musste doch etwas geschehen! Tom hatte es doch schon erlebt! Er erzählte Jenny davon. Dann versuchten sie es noch einmal. Wieder war nichts zu sehen. Jenny kamen die Tränen: „Du kannst doch helfen, Herr! Zeig doch deine Macht!", rief sie fast verzweifelt. Sie sprachen noch einmal den geliebten Namen aus – da fühlten sie, wie sich unter ihren Händen etwas bewegte. Vor lauter Freude sangen sie ein Lied über ihren mächtigen Herrn. Und langsam, ganz langsam wuchsen die Knochen zusammen, und dann bildete sich das Fleisch und die Haut drum herum. Staunend und dankbar schauten die beiden zu.

Da wachte der Alte auf. Er konnte es nicht glauben, dass diese Kinder den schweren Felsbrocken weggeschafft hatten. Und dass sein Bein gar nicht mehr weh tat und ganz heil war! Bloß auf der Hose war noch ein riesiger Blutfleck zu sehen. Die beiden setzten sich zu ihm ins Gras und erzählten ihm alles. Auch, dass Jenny seine Tochter war. Erschrocken starrte er sie an. Er traute seinen Augen nicht, denn sie hatte sich so verändert. Sie war ja nicht mehr das verkrüppelte Häufchen Elend, das er gekannt und verachtet hatte! Hier saß ein schönes, gut gewachsenes, junges Mädchen. Kopfschüttelnd murmelte er etwas vor sich hin, ließ es sich aber gefallen, dass Jenny ihn mit ihrem Arm stützte. Nun erzählte sie natürlich vom König und ihrer Rettung und von seinem Sohn und vom Schloss. Der Alte kam aus dem Staunen nicht mehr heraus. Er verstand die Welt nicht mehr …

Schließlich wollten sie ihn mitnehmen ins Schloss. Aber da schüttelte er den Kopf! Er wollte doch lieber hier draußen bleiben. Er könne sich in seinem Alter nicht mehr umgewöhnen. Er sei ja schon froh, dass er wieder laufen könne! Das reiche ihm auf seine alten Tage.

Das hatten die beiden nicht erwartet! Sie konnten es nicht fassen, dass man die Einladung ins Schloss nicht annehmen konnte. Aber alles Zureden half nichts, sie konnten den Alten nicht überzeugen und sahen ihm traurig und enttäuscht nach, wie er langsam davonschlurfte. Schweigend gingen sie ins

Schloss zurück. Ihnen blutete das Herz. Stumm setzten sie sich auf ihre Plätze und warteten, bis die anderen zurückkamen.

Was hatten die alles erlebt! Und die meisten brachten neue Leute mit ins Schloss. War das ein Erzählen und Staunen! Der Königssohn freute sich mit den Kindern. Dann bemerkte er, wie Jenny und Tom die Tränen herunterliefen. Er setzte sich zu ihnen, nahm sie in seine Arme und tröstete sie: „Ich kann eure Enttäuschung verstehen. Ja, wenn die Menschen nicht wollen! Wenn sie den anderen Weg wählen – das tut

mir auch weh. Aber ihr dürft nicht aufgeben! Ich habe meine Pläne. Und ihr sollt mir dabei helfen!" Voller Hoffnung und Eifer schauten die beiden ihren Herrn an. Was konnten sie denn tun? Sollten sie dem Alten nachlaufen?

„Hört mal alle her!", rief da der Königssohn. „Ich habe Großes vor mit Jennys Vater und dem ganzen Räuberstamm! Das muss aber sorgfältig vorbereitet sein. Wer hilft mit?" Alle meldeten sich begeistert. „Es wird aber hart werden!", warnte er, doch die Kinder wollten alle mitmachen.

Elftes Erlebnis

Donnerwetter! Das waren Freunde! Auch wenn's hart werden würde, wollten sie mit dabei sein! Freunde haben! So was Schönes! Dem Jungen wurde ganz warm ums Herz! In solche Gefahr wollten sie sich für ihn begeben? Vielleicht hatten sie keine Ahnung, wie brutal die Räuber waren! War es dem Königssohn überhaupt klar, was er vorhatte? Wenn er, Tom, an die Räuber dachte, wurde es ihm angst und bange. Doch dann fiel ihm ein, dass sein Herr ja unendlich mächtig war. Aber, falls er selbst nicht mitkäme? Tom und seine Freunde wären neben der Räuberbande ein elendes Häufchen. Einfach hoffnungslos verloren.

Da blickte Tom auf. „Ja", nickte der Königssohn ihm zu, „jetzt wird's ernst! Ihr müsst noch einiges lernen."

Aha, nun konnte es endlich losgehen! Tom fühlte nach, ob seine Muskeln im Oberarm schon etwas stärker geworden waren. Au Backe! Da musste er schon noch einiges dazu tun! Tom sah sich mal wieder im Kampftraining. An diesem Abend konnte er lange nicht einschlafen vor lauter Aufregung.

Jedoch, wie immer, kam alles anders: Denn am nächsten Morgen verkündete der Königssohn: „Freunde, wir werden neue Räume brauchen. Da sollt ihr beim Bau mithelfen. Ich teile euch jetzt in kleine Gruppen ein. Die einen werden Gräben ausheben für die Grundmauern, die anderen werden Steine herbeischaffen, wieder andere den Mörtel anrühren, die Mauern hochziehen und so weiter. Die erste Gruppe wird von Ben geleitet, die zweite von Robert, die dritte von …"

Sicher würde er, Tom, auch eine Gruppe übernehmen dürfen. So was lag ihm doch. Bei seinen Fähigkeiten! Doch der Königssohn nannte seinen Namen nicht unter den Leitern, sondern er teilte ihn in Roberts Gruppe ein. Robert entschied, dass er mit seinen Leuten Steine beschaffen werde. Robert war ein schmächtiger Junge. Einer der stillen, eher schüchternen. Tom hatte ihn noch nie ein lautes Wort sagen hören. Der als Leiter!? Das musste ein Irrtum sein! Tom wollte seinen Herrn darauf aufmerksam machen. Doch dieser beachtete ihn nicht und fuhr fort, jedem seinen Platz in der Gruppe anzuweisen. Als er damit fertig war, sagte er noch: „Kinder, es ist ganz wichtig, dass ihr innerhalb eurer Gruppe einig seid. Sonst klappt's nicht! – Also, viel Spaß!" Und damit ging er hinaus.

Viel Spaß! Das konnte nicht sein Ernst sein. In dieser Gruppe! Und bei dieser Arbeit! Heiß und trocken war's im Steinbruch. Da lagen Steinblöcke. Die sollten in kleinere Bausteine zerschlagen werden. Tom nahm sich gleich den größten Hammer. Man sollte sehen, was er konnte. Es war ihm auch ganz nach Zuschlagen. So eine blöde Arbeit! Er ließ ihn mit voller Wucht auf den Brocken niedersausen. Autsch!!! Der Brocken war zersplittert, und ein Teil war ihm an die Stirn gefahren. Tom wurde fast ohnmächtig vor Schmerz. Er musste sich setzen. Das Blut schoss ihm heftig aus seiner Stirnwunde. Dummerweise kam Robert gerade in die Nähe. Er konnte es unmöglich vor ihm verbergen. Peinlich! Am besten schloss er die Augen … Robert sagte nicht viel. Er klebte ein großes, kühlendes Pflaster auf Toms Stirn. Da tat die Wunde gleich nicht mehr so weh. Dann zeigte er ihm ruhig und sachlich, wie man mit Hilfe eines Eisens durch viele kleine Schläge den Brocken zu Steinen in der richtigen Größe zerteilen konnte. Woher konnte Robert das so gut? Es sah bei ihm ganz leicht aus. Doch als dann Tom das nachzumachen versuchte, war das Ergebnis lange nicht so schön. Je mehr Tom hämmerte, desto mehr musste er sich ärgern. Mal schlug er zu schwach, dann gab's nur Löcher in den Stein. Mal zu stark, da zersplitterte alles an der falschen Stelle. Zudem dröhnten seine Ohren vor lauter Lärm! Und die Hände waren schon ganz aufgerieben von dem rauen Stein. Warum musste er sich hier überhaupt so abschinden? Und alles bloß, weil Robert es wollte. Nein, das brauchte er sich nicht gefallen zu lassen! Tom ließ sein Werkzeug fallen, steckte seine Hände in die Hosentaschen und schlenderte auf den nächsten Felsvorsprung zu, als wolle er spazierengehen. Oder eine Pause machen. Aber in Wirklichkeit wollte er von hier verschwinden und sich anderswo eine anständigere Arbeit suchen. Sicher gab's für ihn was Besseres zu tun!

Hoppla! Fast wäre er mit jemand zusammengestoßen, der gerade um die Felsnase herumkam. Es war sein Herr. „Ist was, Tom? Ich wollte mal nach euch schauen!" Er nahm den Jungen am Arm und ging mit ihm zu einem Baumstamm in der Nähe, auf den sie sich setzten. Im ersten Moment hatte Tom sich arg geschämt, dass sein Herr ihn gerade beim Weglaufen erwischt hatte. Aber weil der ihn nun gar nicht vorwurfsvoll anguckte, sondern sogar fast so, als ob er ihn verstehe, konnte er alles rauslassen: seine Enttäuschung, dass er nicht Leiter geworden war, seine Bedenken wegen Robert, seinen Ärger über seine Arbeit. Und am Schluss setzte er hinzu: „Sag mir bitte – wozu das alles? Wir wollten doch meinen Räuberstamm erobern!"

„Gerade deshalb, Tom." Der Königssohn schien gar nicht verärgert, er lächelte ihm aufmunternd zu: „Weißt du noch, dass du mir vor einiger Zeit gesagt hast, dass du mir traust?" Tom nickte. Das tat er immer noch ganz fest. „Also, trau mir bitte auch zu, dass ich keinen Fehler gemacht habe, als ich dir diese Gruppe und diese Arbeit zuwies." Jetzt hatte Tom wieder Grund, über sich selber traurig zu sein,

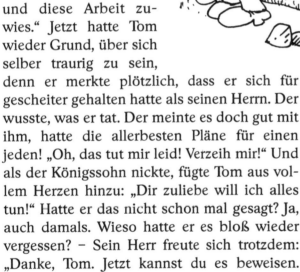

denn er merkte plötzlich, dass er sich für gescheiter gehalten hatte als seinen Herrn. Der wusste, was er tat. Der meinte es doch gut mit ihm, hatte die allerbesten Pläne für einen jeden! „Oh, das tut mir leid! Verzeih mir!" Und als der Königssohn nickte, fügte Tom aus vollem Herzen hinzu: „Dir zuliebe will ich alles tun!" Hatte er das nicht schon mal gesagt? Ja, auch damals. Wieso hatte er es bloß wieder vergessen? – Sein Herr freute sich trotzdem: „Danke, Tom. Jetzt kannst du es beweisen. Solche Kämpfer brauche ich – die mir restlos vertrauen, alles mir zuliebe tun und sogar den

Menschen gehorchen, die ich als Leiter über sie gesetzt habe. Das muss auch trainiert sein. Du wirst es hinterher einsehen. Und jetzt mein Freund, geh wieder an deine Arbeit!"

Der Königssohn wollte Tom an der Hand zurück zur Gruppe führen, doch es war eher so, dass Tom ihn zog. So sehr wollte er ihm zeigen, dass er ihm zuliebe weitermachen wollte. Ganz viel wollte er schaffen und ganz schöne Steine heraushauen, auch wenn's anstrengend war und Schwielen gab. Auf einmal war es gar nicht mehr so schwierig.

Und als Robert das nächste Mal vorbeikam, nickte er anerkennend. Da strengte sich Tom noch mehr an. Allerdings konnte er die anderen Kinder nicht verstehen. Die machten nach jeder Stunde ein paar Minuten Pause, setzten sich in den Schatten und sangen ein paar Lieder. Das war doch wohl hier nicht angebracht, wo's so viel Arbeit gab! Vor lauter Schaffen merkte er gar nicht, wie die Kinder jedesmal erfrischt und fröhlich wieder an ihre Arbeit gingen. Dass sie dabei noch weitersangen und -summten, konnte er wegen des lauten Hämmerns nicht hören, – und er hatte auch gar keine Zeit, sie zu beachten.

Endlich war der Abend da. Tom hätte keine Minute länger arbeiten können. Er war total am Ende. Wenn Robert ihn nicht gestützt hätte, wäre Tom gar nicht mehr ins Schloss heimgekommen. Er ließ sich gleich ins Bett fallen. Zum Essen war er zu müde ... Plötzlich strich ihm jemand übers Haar. Es war Jenny. Sie hatten sich den ganzen Tag nicht mehr gesehen, denn Jenny war zu einer anderen Arbeitsgruppe eingeteilt worden. Sie hatten Blumen gepflanzt und Unkraut herausgezogen. Ob sie nicht so müde sei wie er? Doch – die ungewohnte Arbeit habe auch sie angestrengt. Besonders das viele Bücken. Aber jetzt, nach dem Essen, sei sie schon wieder ganz erholt. Übrigens solle er zum Vater kommen. – Jetzt? Wo er so fertig war? Und so verstaubt und verschwitzt?

„Doch", drängte Jenny, „er wartet auf dich!" Da sprang Tom auf. Er durfte den König doch nicht warten lassen!

Unterwegs dachte Tom kurz: „Ob er mein Pflaster an der Stirn gleich sieht?" Doch als er in das Zimmer des Königs eintrat, erwartete ihn schon wieder eine Überraschung: Der König saß an einem hübsch gedeckten Tisch und lud Tom ein, gegenüber von ihm Platz zu nehmen. Er dürfe sich auf dem weichen Polster ausstrecken, wenn er zu müde sei zum Sitzen. Und er solle nur kräftig zupacken und alles essen, was er gerne mochte. Hmh, war das ein Angebot! Tom streckte gleich seine Hand nach einer saftig-süßen Frucht aus – er hatte doch solchen Durst.

Da merkte er, wie schmutzig die Hand war. Puh! Schnell zog er sie zurück und schob sie unters Tischtuch. Aber der Vater hatte es beobachtet.

Lächelnd kam er um den Tisch herum, setzte sich neben Tom, nahm ihn in den Arm und sagte: „Du darfst sogar schmutzig zu mir kommen. Ich mag dich auch so! Aber – damit dir's besser schmeckt – darf ich dir deine Hände waschen? Du kannst liegen bleiben, ich mach das schon!" Tom wollte widersprechen. Das konnte er doch nicht zulassen, dass ihn sein Vater, der mächtige König, so bediente. Gerade kam er mit einer Schüssel Wasser und einem schneeweißen Tuch. „Bitte Tom, mir zuliebe! Ich tu das gern. Tauch deine Hände rein, es wird dir gut tun!" Schon wieder das „Mir zuliebe!". Das war unwiderstehlich. Tom gab nach und wusch seine Hände. War das eine Wohltat! ...

Huch, das Wasser war ganz trübe geworden. Es hatte sich gelohnt! Rasch trocknete er seine

Hände ab. Nun konnte er mit großem Appetit bei diesem Festessen zugreifen. Der Vater trug inzwischen die Waschschüssel weg. Als er zurückkam, kniete er sich neben Tom nieder und löste ihm die Schnürsenkel. „Komm, mach dir's bequem. Du darfst sie ruhig ausziehen." Und er scheute sich nicht, dem Buben die staubigen Schuhe von den Füßen zu streifen.

Tom war berührt. Dass der König so etwas tat! Wie lieb musste er ihn haben. Das war noch besser als das Essen, noch wohltuender als die frische Luft an den Füßen und das Wasser für die Hände. Eine ganze Weile sprachen sie nichts. Tom ließ es sich schmecken, der Vater schaute ihm zu. Es war eine wunderschöne Wärme im Raum. Dann

durfte Tom von seiner Arbeit erzählen. Er verschwieg auch nicht seine Schwierigkeiten mit den Steinen und Robert und den anderen und sich selber. Warum war eigentlich er derjenige, den es am meisten geschlaucht hatte? Vielleicht hatte ja er am meisten gearbeitet.

Da unterbrach ihn der Vater. Er zeigte auf ein Fenster in der Ecke des Raumes. Darin konnte er auf einmal seinen Arbeitsplatz sehen – von oben, und alles beobachten, was heute geschehen war. Aber seltsam, die Farben wechselten immer wieder. Zum Beispiel war er selbst ganz dunkel, als er mit dem Hammer auf den ersten Steinbrocken gehauen hatte. Durch Roberts Hand war er wieder ein bisschen heller geworden. Nach der Begegnung mit dem Königssohn glühte er ganz rot. Die anderen, die vorher eher gelb gewesen waren, wurden durch den Besuch des Königssohnes auch wieder rot und arbeiteten schneller. Mit der Zeit ließ das Rot etwas nach. Doch jedesmal, wenn sie in den Schatten zum Singen gegangen waren, sah Tom dort einen Brunnen, den er vorher nicht gesehen hatte. Und alle tranken daraus – da wurden sie wieder glühend rot. Nur er, Tom, war immer blasser, grauer geworden. „Siehst du, mein Junge, du hast mit deiner Kraft gearbeitet. Nimm doch meine dazu!" Tom hatte verstanden. Morgen wollte er auch aus dem Brunnen trinken.

Tatsächlich, so ging alles leichter. Frühmorgens war Tom noch zum Vater gegangen. Der hatte ihn umarmt. Da durchströmte ihn neue Kraft und große Freude an der Arbeit, eigentlich an allem. Und jedesmal, wenn er am Ende einer Stunde mit den anderen zusammen die Königslieder sang, da war's, als ob ihn wieder diese Kraft und Freude durchströme, als ob er erfrischendes Wasser getrunken hätte. An diesem Abend konnte er alleine heimlaufen, mit den anderen das Abendessen genießen und hinterher noch ganz lange mit Jenny plaudern. Er erzählte ihr

auch, was er am Abend zuvor mit dem Vater erlebt hatte. „Und stell dir vor, der König hat mir sogar die schmutzigen Schuhe ausgezogen! Eigenhändig!" Jenny war auch tief betroffen. Doch dann dachte sie – und sprach weiter: „Du, Tom, ich hab eine Idee! Wenn der König die schmutzigen Schuhe anfasst, können wir's doch auch. Komm, wir putzen die Schuhe unserer Geschwister ganz heimlich heute abend – als Überraschung. Morgen ist doch Sonntag – und sicher haben die meisten nicht daran gedacht!"

„Werden die sich freuen morgen früh! Au ja, da mach ich mit!", lachte Tom und schlich sich gleich an alle Zimmertüren heran, um die Schuhe einzusammeln. Obwohl er im Leben noch nie seine eigenen Schuhe geputzt hatte – geschweige denn die anderer – das machte Spaß! Und er bürstete und schmierte sie ein, bis alle glänzten.

Die Kinder hüpften vor Freude am nächsten Morgen, als sie die Überraschung vor ihren Zimmertüren sahen. Und der Königssohn sagte als erstes: „Heut ist ein besonderer Tag. Ein paar von euch haben schon etwas dazu beigetragen, und sie sind mir dadurch ähnlicher geworden." Jenny und Tom zwinkerten sich heimlich zu und freuten sich.

Nun sprach der Königssohn weiter. Er lobte die Kinder für ihre Arbeit während der Woche. Heute könnten sie ausruhen, spielen, schlafen. Wer allerdings noch etwas für Toms Räuberstamm tun wolle, dürfe hierbleiben. Fast alle blieben da und warteten gespannt. Der Königssohn zog einen Vorhang an der vorderen Wand zur Seite. Dahinter kam ein Bild zum Vorschein, ein lebendiges. Kein schönes! Eine Siedlung im Wald. Hässliche Hütten, schmutzige, dunkle Höhlen. Die Menschen dort – grausam, gerissen, gewalttätig. Tom wusste gleich: Das war sein Räuberstamm. Nur seltsam! Nein, schrecklich: Der Boden, auf dem die Siedlung stand, war blutrot, ein ganz dunkles Rot. Und über dem Ganzen war eine unheimlich dicke Wolkendecke – oder war es schwarzer Rauch? Kein Sonnenstrahl konnte durchdringen, alles war finster und entsetzlich bedrückend. Die Kinder schauderten. Es war wie ein Sog in den Untergang, in die Verzweiflung. Sie starrten wie gebannt in die Dunkelheit. Das kalte Grausen wollte sie ergreifen. Da hörten sie einen Schrei – wie das gewaltige Brüllen eines Löwen. Sie schauten auf zu ihrem Herrn. Er stand vor ihnen, strahlend hell, viel größer als sonst, hatte einen langen Stab mit einer Fahne in der Rechten, stieß damit auf den Boden und rief mit lauter Stimme: „Ich bin der Sieger! Mein Licht ist stärker als alle Dunkelheit der Welt!"

Die Kinder waren erschrocken. Es zitterten ihnen die Knie vor Furcht. Doch dann wussten sie, dass sie ja zu ihm gehörten. Sie waren so stolz auf ihn – ihren großen Bruder! Sie schrien und klatschten: „Ja, du hast gesiegt. Du bist der Mächtige! Nimm dein Reich in Besitz! Wir folgen dir." Das wurde ein Lied – und sie sangen es wieder und wieder, mit wachsender Begeisterung.

Der Königssohn lachte sein sieghaftes Lachen und wies auf das Bild. Da bewegte sich etwas! Je mehr die Kinder sangen, desto mehr Wolken lösten sich auf, und schon konnte ein Sonnenstrahl die schwarze Wolkendecke durchdringen. Die Menschen darunter sahen erstaunt nach oben und rieben sich die Augen. „Macht so weiter! Das ist der Anfang des Kampfes!", jubelte der Königssohn. Und die Kinder sangen, bis sie müde und heiser waren. Ein ganz schönes Loch hatten sie in die Wolkendecke gesungen. Nächsten Sonntag wollten sie weitermachen. Jetzt waren sie hungrig und wollten zum Essen gehen. An diesem Abend ging Tom kopfschüttelnd ins Bett. So hatte er sich das nicht vorgestellt. Bei Räubers kämpfte man ganz anders …

Doch so ganz glatt ging's auch hier nicht weiter … Am nächsten Tag durfte Toms Gruppe die Steine zur Baustelle bringen. Das machte Spaß. Denn sie mussten sie nicht tragen, sondern da waren Schienen aus Eisen, und auf denen konnte man kleine Karren schieben. Natürlich mussten diese zuerst beladen werden. Dann durfte ein Kind den Karren anschieben, und wenn er in Schwung kam und von alleine zur Baustelle hinunterrollte, konnte man aufspringen und hinunterfahren. War das lustig! Jedes Kind wollte möglichst oft drankommen. Und da Tom sich so mächtig ins Zeug legte und – seinem Herrn zuliebe – viel schaffen wollte, kam er öfter dran als die anderen. Tom merkte nicht, dass sie miteinander flüsterten und ihm missmutig nachsahen. Doch plötzlich blieb sein Karren stehen. Er rollte nicht mehr. Tom stieg ab und sah sich alles an. Da war kein Hindernis zu finden, absolut keines.

Was sollte er tun? Er lief zur Gruppe zurück. Dass ein paar Kinder schadenfroh vor sich hingrinsten, bemerkte er nicht. Ob Robert mal rüberkommen könne? Doch dieser ging nicht zu dem steckengebliebenen Karren, sondern seltsamerweise rief er die Gruppe zusammen. Alle sollten sich setzen und überlegen, ob zwischen ihnen alles in Ordnung sei. Da liefen ein paar Köpfe rot an, und ganz kleinlaut gestanden einige Kinder, dass sie auf Tom neidisch gewesen waren und sich über den Schaden gefreut hatten. Sie baten ihn um Verzeihung. Auch Tom tat es leid, dass er sich vorgedrängt hatte, und bat um Verzeihung. Als Tom ihnen zur Versöhnung die Hand reichte, hörten sie ein Rumpeln. Der Karren hatte sich in Bewegung gesetzt und rollte. Da liefen alle Kinder hinterher und klatschten. Von jetzt an halfen sie einander, erzählten sich Geschichten und machten viele Scherze. So war die Arbeit viel leichter!

Was Tom auffiel und in Erstaunen versetzte: Dass Robert immer genau wusste, was zu tun war. Als er ihm deshalb seine Anerkennung aussprach, lachte der: „Ach, weißt du, ich habe meine Muschel dabei. Damit kann ich ja zu jeder Zeit und überall mit dem Vater in Verbindung treten." Seine Muschel? Die hatte Tom ganz vergessen! Die war also auch bei der Arbeit nützlich und nachts, wenn er nicht schlafen konnte. Und, und … Sicher freute sich der Vater auch sehr, wenn er tagsüber mal einen Anruf bekam. Heut abend wollte er sie suchen und morgen gleich gebrauchen.

Zwölftes Erlebnis

Beim Gutenachtsagen wollte Tom den Vater fragen, aber er vergaß es. Doch am nächsten Morgen stolperte er fast über seine Muschel. Da lag sie ja vor seinem Bett! Er hob sie auf und steckte sie in seine Tasche. Heute würde er den Vater immer wieder durch einen Anruf überraschen. Aber ausgerechnet an diesem Tag war die Arbeit so aufregend und anstrengend, dass Tom seine Muschel ganz vergaß. Nicht einmal zur Pause am Brunnen hatte es ihm gereicht.

Das merkte er allerdings erst abends, als er total abgeschafft nach Hause kam. Und leider ging es tagelang so weiter. Es war aber nicht nur die Müdigkeit, die immer schlimmer wurde. Tom musste sich auch schrecklich ärgern über einen Kameraden, der furchtbar langsam arbeitete und ihm seine Werkzeuge und Steine immer in den Weg legte. Als Tom zum dritten Mal darübergestolpert war, reichte es ihm. Er schrie ihn an, er solle sofort das Zeug wegräumen. Der andere, er hieß Karl, fragte ganz harmlos, ob er denn keine Augen im Kopf habe, worauf Tom seinen ganzen Ärger lautstark über ihn ausschüttete. Bis ihn einer an der Schulter berührte und wegzog. Es war Robert.

Er wolle mit ihm sprechen, ja, jetzt gleich. Trotz der vielen Arbeit.

Sie setzten sich in den Schatten. Robert musste gar nicht fragen, was los war, denn Tom war so in Fahrt, dass er seinem tagelang angestauten Ärger mit Karl gleich vor Robert Luft machte. Der ließ ihn ausreden. Dann fragte er: „Und was denkst du, wie das weitergeht?" Da erschrak Tom, denn er wusste nur zu gut, von Räubers her, wie so etwas weiterging: neuer Ärger, Wut, Fausthiebe … Weiter wollte er gar nicht denken. Aber das passte doch nicht hierher! Er schämte sich. Vor Robert, vor Karl, vor den anderen. Vor sich selber. Und vor seinem Herrn, der das sicher mitangesehen hatte. Doch was sollte er tun? Das war ja nicht auszuhalten mit dem langsamen Jungen. Vielleicht könnte er den König bitten, er solle den Karl an einen anderen Platz versetzen? Dies fuhr ihm so durch den Kopf, als Robert ihn unterbrach: „Tom, wo steckt eigentlich das Problem?"

Tom wollte erwidern: „Bei Karl natürlich! Der ist so dumm und langsam!" Doch in diesem Augenblick wurde Robert woanders gebraucht und sagte nur: „Bleib noch eine

Weile hier und überleg dir das! Ich komme nachher nochmal kurz vorbei!"

Trotzig schob Tom die Hände in die Taschen. Da gab's doch nichts zu überlegen! Oha! Da war ja seine Muschel. Hatte er ganz vergessen. Nein, die brauchte er im Moment wirklich nicht! Wirklich nicht? Tom musste plötzlich an damals denken, wo er sich vor dem König versteckt hatte, als das Kästchen kaputtgegangen war. Wie hatte der König gesagt, als er ihn auf seinen Armen nach Hause trug? „Schuld verstecken, das ist das Schlimmste für dich und für mich … Auch wenn du mal was falsch gemacht hast, kommst du am besten sofort zu mir. Denn ich kann alles wieder gutmachen – und ich tu das so gerne."

Schuld?! Was falsch gemacht? Hatte er was falsch gemacht? Seinen Ärger hatte er doch wohl rauslassen dürfen! Sonst würde Karl ja weiterhin so rumlangweilen. „… kommst du am besten zu mir!", sagte da nochmals eine

Stimme in seinem Inneren. Naja! Vielleicht half's! Und er nahm die Muschel und wollte „Vater" sagen – doch es war gar nicht so leicht.

Deshalb benützte Tom einfach seine Muschelsprache, die Kindersprache. Das ging leichter. Als ob jemand anderes in ihm spreche. Aber er sprach doch selber! Und es tat ihm gut. Sein Herz wurde ruhiger, der Ärger kleiner, und allmählich konnte er klarer sehen: Er hatte Karl unrecht getan. Vielleicht konnte der andere Junge gar nichts dafür, dass er so langsam war? Konnte er, Tom, denn etwas dafür, dass er schneller arbeitete? Er würde sich bei Karl entschuldigen, sogar vor den anderen, wenn es sein musste. Der war doch auch ein Sohn des Königs.

Oh, Tom hatte einen Sohn den Königs beleidigt! Da musste er wohl auch seinen Vater, den König, um Verzeihung bitten! Das tat er gleich in seine Muschel hinein. Und dann hörte er auf zu reden und hörte nur zu. Eigentlich war es eine Stille, der er zuhörte.

So was Verrücktes! Aber es war eine große Stille, die so viel Frieden ausströmte, dass er voll davon war. Dann sagte er nur noch ein Wort: „Vater."

Das genügte. Alles war wieder in Ordnung, nein, sogar noch besser: Er hatte den Karl viel lieber als vorher. Er wollte ihn kennen lernen. Sein Freund sein. Das brauchte er dem Karl gar nicht zu sagen. Denn als Tom sich bei ihm entschuldigt hatte, konnte er ihm gleich bei einem schwierigen Steinbrocken helfen. Dabei entdeckten beide, wieviel besser es war, zusammenzuarbeiten. Robert, der alles von Ferne beobachtet hatte, kam erst gegen Abend vorbei.

Als sie miteinander nach Hause liefen, stellte Tom ihm noch einige Fragen: „Wie machst du das, Robert? Warum hast du so viel Geduld mit uns? Warum kannst du so gut mit uns umgehen? Warum kann ich das nicht?"

„Ich kann's auch nicht von mir aus, Tom. Weißt du, ich bleib einfach den ganzen Tag mit dem König in Verbindung, so kann er mithelfen. Es ist seine Freundlichkeit, die ich weitergeben darf, seine Geduld, sein Wesen."

„Aber wie machst du das?", beharrte Tom und erzählte Robert seinen Kummer mit der Muschel, die er seit Tagen mit sich herumtrage, aber ständig vergessen hatte zu gebrauchen. Lächelnd machte ihm Robert klar, dass er,

Tom, das eben nicht selber tun könnte. Dass er sich auch hier helfen lassen müsse. Denn sie hätten doch einen Feind. Und der wolle sie mit allen Mitteln vom Vater fernhalten, damit die Königskinder nicht mit ihrem Vater zusammenkommen und ihm dadurch immer ähnlicher werden könnten. Und selber seien sie zu schwach, um all die Tricks zu durchschauen und ihnen widerstehen zu können. Tom nickte. Das wusste er nur zu gut!

Robert blieb stehen, legte seinen Arm um Toms Schultern und sagte laut: „Vater, es ist so gut, immer mit dir zusammen zu sein. Bitte hilf du dem Tom, dass er das besser lernt. Danke, Vater."

Das war gut! Das half wirklich! Von jetzt an wurde es Tom immer wichtiger, sich tagsüber, wo er auch war, mit dem König in Verbindung zu setzen. Er hatte sich seine Muschel sogar mit einem Riemen um das Handgelenk gebunden. So konnte er auch während der Arbeit mit dem Vater sprechen. Oder ihm zuhören. Denn er spürte, wie sehr schon ein paar Sätzchen in der Kindersprache den Vater freuten. Und obwohl Tom nie selber verstand, was er da sagte, bemerkte er, das es für den König wie ein Geschenk war, das ihm Freude machte. Und oft durfte Tom diese Freude auch in seinem eigenen Herzen spüren.

Am nächsten Sonntag, als die Kinder die dichte, düstere Wolkendecke wieder ein Stück weggesungen hatten, dachte Tom: „Genau so ist das mit meinem Herzen. Wenn ich immer öfter durch meine Muschel mit dem König spreche, verschwinden die düsteren Wolken, die Ungeduld und das alles in meinem Inneren immer mehr."

So war es auch. Denn eines Tages meinte der König: „Tom, mein Sohn, du bist mir schon ein gutes Stück ähnlicher geworden. Jetzt ist es Zeit, dass du noch stärker wirst. Bist du damit einverstanden?"

So eine Frage! Begeistert versicherte Tom, er wolle weitermachen, er wolle alles tun, um stärker zu werden. „Willst du auch manches lassen? Und an dir tun lassen?" Tom verstand die Frage nicht ganz. Er hatte jedoch ein solches Vertrauen zu seinem Vater und dessen großem Sohn, dass er sofort Ja sagte. Der König fuhr fort: „Wenn du Ja sagen willst zu dem, was ich wünsche, dann musst du oft Nein sagen zu deinen eigenen Wünschen. Das muss man üben, aber so etwas macht stark. Für den Kampf!" Komisch, bei Räubers hatte man, um stark zu werden, besonders kräftiges Essen bekommen. Und hier? Fragte ihn doch der König, ob er ihm zuliebe hie und da auf das Essen verzichten wollte. Das sei für ihn, Tom, ein guter Weg, um stark zu werden. Tom schüttelte erstaunt den Kopf. Da kam er nicht mehr mit! Musste es ausgerechnet das Essen sein? Wo's ihm doch hier so schmeckte! Versuchen wollte er es. Das wäre doch gelacht, wenn er das nicht fertigbrächte! Und so ging Tom zu seinen Geschwistern und verkündete laut, er werde heute nichts essen – dem König zuliebe, und damit er stark werde.

War das ein harter Tag! Sein Magen knurrte heftig, das Essen duftete viel besser und verführerischer als sonst, und Tom hatte Angst, dass er die Arbeit in diesem Zustand gar nicht schaffen könnte. Er fühlte sich schon ganz schwach! Gegen Abend hielt er es fast nicht mehr aus. Aber er wollte sich doch nicht blamieren vor den anderen! Abends ging er zum König: „Also, heute habe ich nichts gegessen. Bin ich schon ein bisschen stärker geworden?"

„Wie fühlst du dich denn?", wollte dieser wissen.

„Ganz gut, dass ich es geschafft habe."

Der König sagte lange nichts und schaute den Jungen nur voll Güte an. Da merkte Tom, dass etwas nicht ganz stimmte. Was denn? Ach, er war wohl ein klein wenig stolz darauf, dass er es geschafft hat. Wirklich nur ein bisschen. Ob es das war? Der König nickte. „Ja – und Tom, mach's nächstes Mal, ohne es den anderen zu sagen. Das geht nur uns beide an! Du willst doch mir die Freude machen – und nicht den anderen damit imponieren!"

Ja. Das wollte er sich merken.

Nach ein paar Tagen wollte er wieder auf das Essen verzichten, aber es gab gerade seine Leibspeise. Das war nun doch zuviel verlangt. Und ein anderes Mal ging er nicht zum Essen, aber zufällig fand er unter einem Baum ein paar saftige Birnen – und da war es schon geschehen. Wie von selbst waren die in seinen Magen gewandert. Beim nächsten Mal ging es wieder nicht, denn da brachte Jenny gerade etwas besonders Feines, das sie ganz speziell für ihn gebacken hatte. Seine beste Freundin konnte er ja auch nicht beleidigen.

Und so aß er. Es schmeckte herrlich – aber hinterher überlegte er ganz traurig: Es war schon auffallend, dass es mit dem Fasten immer nichts wurde. Ganz unglücklich über sich selbst ging er zum Vater und gestand ihm: „Ich schaff's nicht – das mit dem Fasten."

„Gut, dass du endlich kommst", meinte der. „Lieber Tom, ich kann das beinahe nicht mehr mitansehen, wie du dich abschindest. Wie lange noch willst du alles mit eigener Kraft schaffen?!" Ach so, das war es wieder! Also nicht mal aufs Essen zu verzichten brachte er

79

von sich aus fertig! Eigentlich war er schon ein armer Kerl. Zu schwach für so etwas! Es war ganz schön hart für den Jungen, sich das einzugestehen. Im nächsten Augenblick umarmte ihn der König zärtlich. „Geliebtes Kind, du sollst doch mit meiner Kraft kämpfen, auch gegen dich selber. Ich will dir doch helfen und die Hindernisse aus dem Weg räumen!" Dass er das immer noch nicht kapiert hatte! Tom schaute zum Vater auf – und plötzlich fand er es schön, so klein zu sein. Er schmiegte sich noch enger in seine Arme hinein und bat: „Bitte, hilf du mir dabei. Ich kann es nicht alleine!"

Von da an ging es ganz gut, und Tom wurde immer stärker gegenüber seinen eigenen Wünschen. Bloß musste er ganz arg aufpassen, dass er nicht gerade darauf stolz wurde. Das war sehr schwer. Aber auch hier schrie er zum Vater um Hilfe, wenn er merkte, dass er selber stark oder groß sein wollte. Oder er bat Robert, dass er mithelfe. Dieser bremste ihn auch, als Tom in seinem Eifer übertrieb und schon ganz bleich daherkam. Er gab ihm den Tip, einfach den Vater zu fragen, bevor er fasten wollte.

Auch die anderen Kinder wollten wachsen. Das heißt, sie versuchten, einander mehr zu helfen. Oder sie übten sich darin, nicht mehr der Stärkste sein oder mehr gelten zu wollen als die anderen. Es wurde ihnen immer wichtiger, danach zu fragen, was der König von ihnen wünschte. Aber es war ein harter Kampf, und oft machten sie wieder ihre alten Fehler. Gut, dass der König nicht nachtragend war und sie immer wieder ermutigte, nicht aufzugeben. Auch mit dem Bau ging es nicht so recht vorwärts.

Gerade an dem Tag, als die meisten wieder einmal versagt hatten, sich gestritten oder Schlechtes übereinander weitererzählt hatten, als sie ganz zerknirscht zum König kamen und weinten, weil sie noch solche Anfänger waren, gerade an diesem Tag verkündete er laut: „Es ist soweit! Ihr könnt losziehen!" Ganz verdutzt standen die Kinder da. Sie mussten zweimal schlucken. Ausgerechnet jetzt, wo sie merkten, dass sie noch lange nicht soweit waren! – „Ich bin stark. Ich sende euch." Ja, das wussten sie, dass er stark war. Aber warum kam er nicht mit? Vor ihm würden die Feinde alle gleich davonrennen. – „Ich gehe mit, aber unsichtbar. Ihr werdet siegen, solange ihr auf mich schaut!"

Das war zu hoch! Wie konnten sie auf ihn schauen, wenn sie ihn nicht sehen konnten, wenn er unsichtbar war? Da sprach er schon weiter: „Haltet euch daran fest, dass ich bei euch bin. Das ist euer Schutz. Kämpft mit meiner Kraft und mit meinen Mitteln, dann werdet ihr siegen. Mein Name ist euer Schwert. Und euer neuer Name wird euch alle Türen öffnen!" Alles klang so geheimnisvoll. Die Kinder schauten reichlich hilflos drein. Sie hatten wenig verstanden von dem, was der König gesagt hatte; nur eines ganz sicher: Dass sie gehen sollten.

Dreizehntes Erlebnis

Also zogen sie noch am Abend los. In die dunkle Nacht hinein. Ohne Vorräte, ohne Waffen, ohne den Weg zu kennen. Ein armseliger Haufen von Kindern. Fast hörten sie das Kichern des Feindes um sich herum, fast bekamen sie Angst. Doch da fingen sie an zu singen, ihre Königslieder. Dabei wurden ihre Stimmen lauter, ihre Schritte kräftiger, ihre Herzen mutiger. Und es war, als wüssten sie den Weg. So marschierten sie die ganze Nacht. Gegen morgen kamen sie an einen dichten Wald, in dem sie sich gut verstecken konnten, um ein wenig auszuruhen. Lange konnten sie nicht schlafen, denn Robert und die anderen Gruppenleiter hatten Wache gehalten, und drei von ihnen hatten bei ihren Rundgängen dunkle Gestalten mit grünlichen Augen ums Lager schleichen sehen. Sie weckten die anderen. „Wir müssen weiter. Wir dürfen keine Zeit versäumen. Der Feind hat uns schon entdeckt! Er wird es den Räubern melden!" Erschreckt sprangen die Kinder auf. Ja, da galt höchste Eile, denn die Räuber sollten keine Zeit mehr haben, um sich auf den Kampf vorbereiten zu können!

Schon wollten sie losmarschieren, als Jenny schüchtern einwandte: „Moment mal, sollten wir nicht den König fragen?" Tom warf unwillig den Kopf zurück. Jetzt durften sie keine Zeit mehr verlieren. Doch die Leiter meinten: „Danke, Jenny. Das ist das einzig Richtige!" So stellten sie sich im Kreis auf, um ihren Herrn herum, den sie nicht sehen konnten. Aber sie wussten trotzdem, dass er da war. Er hatte es ja versprochen! Deshalb sangen sie ein Lied für ihn. Aber gar nicht verängstigt oder leise, damit es der Feind nicht hören sollte, sondern immer lauter und fröhlicher. Und dann noch ein Lied. Und noch eines! – Obwohl sie keine Zeit verlieren durften!

Dann wurde es still. Nach einer Weile erzählten sie einander, was sie in der stillen Zeit erlebt hatten. Ein paar hatten ihren Herrn wirklich in ihrer Mitte stehen sehen, hell und stark und froh. Andere hatten gesehen, dass viele dunkle Gestalten durch die Lieder immer weiter weggescheucht wurden. Und Jennys Freundin hatte gesehen, dass ein Junge etwas aus dem Boden scharrte und davonlief. Ein paar Jungen wollten über solche Mädchengeschichten lächeln, aber Robert nahm das sehr ernst und bat die anderen, nochmals still zu werden und ihren König um eine genauere

Erklärung zu bitten. Was dann herauskam, was die einen gedacht oder gesehen oder gehört hatten und die anderen ganz annehmbar fanden: Dass einer von ihnen alleine ins Räuberlager schleichen, dort im Boden graben sollte und etwas finden würde, das er mitbringen sollte. Und ein paar Kinder meinten, dieser eine müsse Tom sein. Die Leiter überlegten kurz, dann fragten sie Tom, ob er bereit sei, das zu tun.

Ausgerechnet er! Wo er doch solch üble Erfahrungen mit den Räubern hinter sich hatte. Ihm wurde ganz schlecht. Er sank in sich zusammen. Was sollte er sagen? Wie von selbst flüsterte er ein paar Worte in seiner Muschelsprache. Und dann hörte er eine Stimme, ganz leise, aber wohlbekannt: „Willst du das für mich tun, Tom?"

Da richtete er sich auf, und durch seine Angst hindurch sagte er laut: „Gut, ich gehe."

Die Kinder atmeten auf, freuten sich und scharten sich um Tom. Sie baten ihren Herrn, dass er Tom schützen und führen sollte. Dann brach er auf. Robert hatte ihm noch ins Ohr gesagt: „Denk daran, dass du ein Kind des Königs bist!"

Das machte ihn froh und zuversichtlich. Jedoch nach kurzer Zeit bot sich ihm ein schrecklicher Anblick: Der Wald war meilenweit abgebrannt. Alles war schwarz. Nur ein paar Baumstümpfe ragten heraus, Reste von Hütten, rußgeschwärzte Wände. Und – Tom konnte fast nicht hinschauen – ein paar verkohlte Leichen. Verstümmelt. Verbrannt. Das war ja entsetzlich! Hatten die Räuber so gewütet? Wo waren die übrigen Bewohner dieser Häuser? Tom ahnte Schlimmes. Die armen Menschen! – Aber auch er war in Gefahr! Jeder konnte ihn von weitem sehen. Er war ja das einzige, was sich bewegte, was nicht schwarz war. Ratlos stand er da und schaute sich verängstigt um. Was sollte er tun? Nochmals zurück zum Wald, bis es dunkel würde? Aber dann war wieder Zeit verloren! „Keine Zeit verlieren!", sagte er sich und ging weiter. Allerdings nicht lange, denn er wurde von einer lähmenden Müdigkeit erfasst, die ihn zu Boden drückte. Jeder Schritt wurde noch mühsamer, bleiern schwer waren seine Glieder. Und in seinem Kopf dröhnte es immer lauter und bedrängender: „Damm, damm, damm, damm, damm!" Das gab ihm den Rest. Er brach zusammen. Da lag er, ganz allein. Wehrlos ...

Nein, er war nicht allein! Sein Herr hatte doch versprochen, dass er mitgehe.

„Bist du da?", flüsterte Tom.

„Natürlich!", kam die Antwort zurück, so laut und klar, dass Tom erschrocken hochschaute. Es war niemand zu sehen. Doch Tom wusste wieder, dass sein Herr bei ihm war.

Dann konnte er ihn ja gleich fragen, ob er weitergehen sollte. „Ja, aber bleib in meinem Schutz!" Wie meinte er das? Ach ja, der Königssohn hatte gestern abend etwas von Schutz gesagt. Wenn Tom doch besser aufgepasst hätte! Langsam kamen die Worte zurück: „Haltet daran fest, dass ich bei euch bin. Das ist euer Schutz!" Daran festhalten? Wie sollte er das anfangen? Am besten wiederholte er die Worte ein paarmal, damit er sich's merken konnte: „… dass ich bei euch bin, dass ich bei euch bin …" Tom stand auf, ging weiter und sagte ständig vor sich hin:

„Du bist bei mir, du bist bei mir, du bist bei mir." Nach einiger Zeit plapperte er in seiner Muschelsprache weiter. Es ging ganz leicht, und er kam gut vorwärts.

Bald fand er einen Weg, fragte seinen Herrn, ob das der richtige sei, und als er dessen Zustimmung spürte, ging er weiter, bis er an ein riesiges, uraltes, eisernes Tor kam. Es war verschlossen. Keiner war da. Rechts und links ragten hohe Mauern empor, dunkel, unbezwingbar. „Wie komme ich hier durch?", fragte Tom seinen Herrn. Wieder musste er an die

Worte des Königs denken: „... und euer neuer Name wird euch alle Türen öffnen."

Was war das für ein Name? Er hieß doch immer noch Tom! Alle nannten ihn so. Manche Leute hatten einen Familiennamen, das war bei Räubers so gewesen. Aber jetzt gehörte er ja nicht mehr zu ihnen. Er gehörte doch zum König. Ach so, dann war das sein Familienname! Und er sagte laut und stolz: „Ich bin ein Kind des Königs!"

In diesem Moment öffneten die Tore sich wie von selbst, krachend und stöhnend, als ob sie jahrhundertelang geschlossen gewesen wären. Übler Gestank kam ihm entgegen, Modergeruch, der ihm fast den Atem nahm. Von weitem konnte Tom die Räubersiedlung erkennen. Da musste er hin, koste es, was es wolle. „Geh du mir voraus, bitte!", flehte er. Da sah er vor sich leuchtende Spuren, als ob sein Herr ihm vorausginge. Tom wagte sich durch das Tor hindurch. Gut, dass er seine Augen auf den Boden heften musste, um die Spuren nicht zu verlieren. Wenn er die gräßlichen Fratzen rechts und links von sich gesehen hätte, die ihn erschrecken und bedrohen wollten, wäre er sicher nicht weitergelaufen.

Es war inzwischen Abend geworden. Hinter einem Baum blieb Tom stehen, denn die Räuber saßen saufend, schmatzend und johlend um das Feuer herum. Einige schnitzten an Pfeilen und Speeren und brüllten einander zu, wie sie damit die lausigen Kinder umbringen wollten. Es herrschte richtige Räuberstimmung. Tom wandte sich angewidert ab. Das war gut, denn so konnte er die leuchtenden Spuren sehen. Sie gingen weiter, in einem weiten Bogen um das Feuer herum, in den hinteren Bereich des Lagers.

Schon von ferne war ein schreckliches Heulen und Stöhnen zu hören. Je näher Tom herankam, desto deutlicher konnte er hören, dass es viele Stimmen waren. Auf einmal wusste er: Das waren die Überlebenden aus den abgebrannten Dörfern. Sie lagen angekettet, verletzt und hungernd in den dunklen Höhlen, die er allzu gut kannte. Oh, wenn er doch nur helfen könnte!

Doch was sollte er, der kleine Junge, für diese vielen Gefangenen tun? Er konnte die Ketten ja nicht lösen, die riesigen Felsbrocken und starken Gitter nicht wegheben. Doch etwas konnte er tun. Jetzt gleich. Ob es etwas nützte? Wie damals, als er mit seinem Herrn ausgeritten war: Er sprach den Namen des Königssohns aus, mutig und laut. Da verstummten die Menschen auf einmal, und Tom ging von Höhle zu Höhle, von Gitter zu Gitter

und raunte ihnen zu: „Habt Mut! Ihr werdet bald befreit!" Tom konnte hören, dass sie ihm glaubten, denn es ging ein Aufatmen durch die Höhlen, unterdrückter Jubel, Gemurmel und nur noch leises Weinen.

Als er sich umwandte, stand jemand vor ihm. Eine dunkle Gestalt. Tom erschrak! Hatte ihn also doch einer der Räuber entdeckt! Doch der schlug nicht zu, griff auch nicht nach ihm, machte keinen Lärm, um die anderen herbeizurufen. „Bist du der Junge?", kam ein heiseres Raunen. Kannte er die Stimme nicht? Oh, es war der Alte, Jennys Vater, der damals geheilt worden war, aber zu den Räubern hatte zurückkehren wollen. „Komm!", flüsterte er und zog ihn an der Hand in eine kleine, dunkle Hütte ganz in der Nähe.

Obwohl es finster und ungemütlich war und Tom nicht recht wusste, ob er dem Alten trauen konnte, setzte er sich neben ihn auf den Boden in eine Ecke. Jetzt erst merkte er, dass er heute schon recht lange auf den Füßen gewesen war. Wenigstens ausruhen konnte er sich. Aber er musste auf der Hut sein.

„Ich habe schon lange auf dich gewartet", sagte der Mann.

Erstaunt fragte Tom: „Woher wusstest du …?"

„Später mehr. Jetzt nur das Wichtigste: Seitdem der König mein Bein berührt und wieder ganz gemacht hat, lässt er mich nicht los. Obwohl ich zu den Räubern zurückgekehrt bin. Glaub mir, es war schlimm für mich hier. Doch vor einigen Wochen wurde es irgendwie besser. Ich spürte, dass sich etwas tat, dass es heller über uns wurde. Auch die Räuber mussten etwas bemerkt haben, denn sie haben es noch schlimmer getrieben als je zuvor. Ich war in meinem Inneren ganz sicher, dass sich etwas ändern würde. Dreimal träumte ich, dass du kommst. Ich solle dir das Opferloch zeigen. Kommst du mit?"

Der Alte stand auf. Tom zögerte einen Augenblick. Ob sein Herr damit einverstanden war? Da sah er die leuchtenden Spuren wieder. Nur zwei Fußabdrücke, hinter dem Alten her. Tom hatte verstanden und folgte ihm. Sie wanderten durch ein Gewirr von Felsen hindurch. Tom erinnerte sich: Als Kind war es ihm strengstens verboten worden, dieses Gebiet zu betreten. Er hatte es auch nicht gewollt. Denn schaurige Geschichten waren ihm damals zu Ohren gekommen.

Es ging einen steilen Pfad nach oben. Dann krochen sie auf allen Vieren unter einer Dornenhecke hindurch. Tom blieb ständig hängen, zerriss sich die Kleider und zerkratzte sich Gesicht und Hände. Als sie endlich durch waren, sah Tom ein grünliches Licht. Eiskalt, unheimlich. Es flackerte auf einem Stück Erde, das von einem Kreis von Steinen umgeben war. Blutrote Erde. Da dachte er an den blutroten Boden, den er vom Schloss aus unter der Räubersiedlung gesehen hatte. Tom wusste, hier musste er graben. Mit den bloßen Händen wühlte er die Erde auf. Es ging ganz leicht, der Boden war locker. Während er immer tiefer grub, murmelte der Alte wirres Zeug vor sich hin: „Hundert Jahre ... armes Wesen ... Brutan geweiht ... zertreten ... Blutschuld ... Wehe!" Tom ahnte Schlimmes. Da!

Tatsächlich, er fand Kinderknochen. Ganz kleine. Schaudernd legte er sie auf sein großes Taschentuch und knotete es sorgfältig zu einem Bündel zusammen, das er sich vorne unter das Hemd steckte. Sicherheitshalber!

Vierzehntes Erlebnis

Von ferne kam ein Grollen wie Donner. „Mach, dass du fortkommst! In diese Richtung! Hier hast du ein Seil! Lauf so schnell du kannst!", schrie der Alte wie in Panik. Mit bloßen Händen hob er die Dornenranken hoch, damit Tom rascher durchkam, und reichte ihm dann das Seil nach. Es war lang und schwer und hinderte ihn am schnellen Laufen. Doch er würde es brauchen, wegen der Mauer. Tom rannte im Zickzack zwischen den Felsen hindurch.

Endlich hatte er diese hinter sich gelassen. Von Ferne konnte er schon die hohe Mauer erkennen. Einen Moment musste er ausruhen. Dann würde er weiterrennen. Doch er kam nicht dazu, denn das Grollen war bedrohlich nahe gekommen. Da! Der Boden unter seinen Füßen bebte. Mit großem Getöse fiel die riesige Mauer ein. Tom ließ das Seil fallen. Das brauchte er nicht mehr. „Sobald die dicken Staubwolken sich gelegt haben, laufe ich los und steige über die Trümmer weg."

Vor lauter Eile glitt er aus, sein rechter Fuß rutschte ab und wurde zwischen den Trümmern eingeklemmt!

„Zum T…", fuhr es aus ihm heraus.

Das war noch ein Rest der Räubersprache. Als ob es ein Signal gewesen wäre, stürzten drei Hunde auf ihn zu, bellten wütend und rissen an seinen Kleidern. Tom spürte ihre Zähne und sah ihre blutgierigen Augen und Mäuler. Da schrie er den Namen seines Herrn. Sofort ließen sie von ihm ab und lagerten sich knurrend um ihn herum. Doch schon sah er eine Gruppe von Räubern auf sich zukommen. Er schloss die Augen und stöhnte: „Hilf mir, Herr!" Da hörte er dessen ruhige Stimme: „Ich bin bei dir. Schweig still, und lass dir alles gefallen!"

Da waren sie auch schon da. „Aha, das ist der Kerl! In die Falle gegangen! Und gleich das Seil mitgebracht! Hahaha! Das ist zum Totlachen!" Und sie fesselten ihn mit dem Seil des Alten, zogen seinen rechten Fuß heraus und schleppten Tom unter Hohngelächter vor den Hauptmann.

Der war noch fetter, wilder und blutrünstiger geworden. Mit seiner Peitsche stand er da und erkannte ihn: „So, du bist das! Der Schwächling! Willst was Besseres sein. Das werden wir dir austreiben!" Und er holte aus und versetzte Tom einen Peitschenschlag mitten ins Gesicht. Tom verging Hören und Sehen. Es tat sehr weh, doch er wunderte sich, dass er sich überhaupt noch auf den Beinen halten konnte. „So, jetzt kennst du mich wieder! Und du wirst mich noch besser kennen lernen, wenn du mir nicht sagst, wozu du gekommen bist. Denn so ein Bürschchen führt was im Schilde, wenn es zu uns zurückkommt. Los, gesteh's!" Drohend baute er sich vor Tom auf, in seiner ganzen Größe. Doch Tom musste fast lächeln, denn was war das schon für eine Größe gegen die seines Herrn! Das brachte den Hauptmann etwas außer Fassung. Deshalb befahl er: „Bindet ihn an diesen Baum, bis er redet. Wenn nicht, mag er verhungern, das Bürschchen." Zum Abschied versetzte er ihm noch lachend einen brutalen Hieb mit der Peitsche.

Obwohl die Stricke ihm ins Fleisch schnitten, sein Fuß schrecklich schmerzte, ebenso die Striemen von der Peitsche auf Armen und Rücken, sein Gesicht noch mehr, blieb Tom ganz ruhig. Auch als sie ihn auslachten, hänselten und anspuckten – seine ehemaligen Kameraden, die Frauen und Kinder. Immer hatte er ein Bild vor Augen, das er im Thronsaal gesehen hatte: wie der Sohn des Königs an einem Baum hing. Schrecklich zugerichtet. Das musste weit schlimmer gewesen sein. Und das hatte er für ihn, Tom, getan!

Also wollte er auch was für seinen Herrn aushalten. Selbst wenn er auch so enden musste. Endlich wurde die Horde müde und verzog sich in ihre Behausungen. Tom war froh darüber. Sein Herr war ja bei ihm, da würde er die Nacht schon überstehen. Auch der Hunger war zu ertragen, schließlich hatte er sich durch das Fasten in letzter Zeit daran gewöhnt. Er stellte sich vor, er lehne sich jetzt an seinen Herrn. So konnte er sich etwas erholen. Mitten in der Nacht stand plötzlich jemand vor ihm. Tom kannte ihn. Es war der Sohn des Hauptmanns. Ein Messer blitzte in seiner Hand. Doch Tom schaute ihm ruhig in die Augen. Der Junge flüsterte: „Du gefällst mir! Wie du auf meinen Vater reagiert hast! Bravo! Das hat mich überzeugt! Es wäre schade um dich, wenn sie dich umbringen würden. Übrigens – Jennys Alter hat mir von dir erzählt. Ich möchte deinen König kennen lernen. Nimmst du mich mit zu ihm?" Mit seinem Messer schnitt er rasch die Stricke durch.

Der Hauptmannssohn kannte den kürzesten Weg und ging voraus. Tom humpelte ihm nach. Draußen vor der Mauer war ein Pferd an einem Baum angebunden. „Das gehört mir", erklärte der Junge. „Setz dich drauf. Ich laufe nebenher."

Tom wusste nicht, ob er träumte oder wach war. Doch als sie nach kurzer Zeit ein Singen hörten und die Kinder ihnen entgegen-

marschierten, wusste er, dass es Wirklichkeit war. Sie staunten nicht schlecht, als sie Tom auf dem Pferd und den Räuberjungen neben ihm sahen. Tom hätte gerne ausführlich von seinem Abenteuer erzählt, aber da kam Robert auf ihn zu und bat ihn, nur das Nötigste zu berichten. Und als erstes: ob er das Ausgegrabene dabei habe. Tom zog es aus seinem Hemd. Da wurden alle still.

Manche weinten und wussten nicht warum. Doch die Gruppenleiter hatten inzwischen vom König eine Botschaft bekommen, Tom sollte das Tuch mit den Kinderknochen so schnell wie möglich ins Schloss bringen. Die anderen sollten sich inzwischen vom Sohn des Hauptmanns den Weg zum Räuberlager zeigen lassen.

Einerseits war Tom froh über den Auftrag, denn so konnte er seinen verstauchten Fuß schonen. Andererseits wäre er zu gerne beim Kampf dabei gewesen! Doch was er sah, als er beim König angekommen war, war mindestens ebenso spannend und entscheidend wie das, was die anderen erlebten: Der König legte das kleine Bündel auf seinen Schoß, knüpfte es auf – und weinte. Seine Tränen fielen auf die Knochen. Da fingen diese an, sich zu bewegen und sich zu ordnen. Der König blies seinen Atem darüber, da war es ein kleines Kind, wunderschön, bloß ganz blass. Der König nahm es in seine Hände und tauchte es in eine Schale mit Blut. Da fing es an, sich zu bewegen. Voll Zärtlichkeit küsste es der König und fragte, ob es sein Kind werden wolle und ob es den Räubern verzeihen wolle. Als habe es verstanden, nickte das Kind.

Im nächsten Augenblick hörte Tom ein Krachen, Klirren und Rumpeln und ein Freudengeschrei. Durch das Fenster, durch das er schon öfter das Räuberlager gesehen hatte, sah er, dass der Boden der Siedlung auf einmal nicht mehr rot war, dass die Gitter und Felsblöcke vor den Gefängnissen gesprengt waren, dass die Räuber vor Schreck umfielen, sich versteckten oder hilflos durcheinanderliefen. Selbst der Räuberhauptmann war völlig verwirrt. Er stand mitten auf dem Platz und schrie – grässlich wie ein Tier. Da marschierten auch schon die Kinder von allen Seiten herein. Jenny ging furchtlos auf den Hauptmann zu und sagte nur ganz ruhig: „Raus! Im Namen meines Herrn!" Mit einem scharfen Pfiff fuhr

etwas aus dem Hauptmann heraus. Da fiel er kraftlos zu Boden wie ein leerer Sack.

„Wir sind Kinder des Königs. Er hat euch von der dunklen Macht befreit. Ihr dürft ihn kennen lernen. Er erwartet euch auf seinem Schloss. Kommt mit uns. Wir führen euch zu ihm!" Das war Karls Stimme, langsam und deutlich. Er stand auf einem Baumstumpf mitten im Lager. Hatte der Mut, sein Freund!

Alle befreiten Gefangenen schlossen sich jubelnd den Kindern an. Auch viele Räuber – Männer und Frauen und Kinder – überlegten nicht lange. Sie waren wie verändert, seitdem der Boden nicht mehr rot war. Ohne auf ihren Hauptmann zu achten, folgten sie dem Zug nach draußen. Nur der Hauptmann und ein paar seiner Zechkumpanen blieben übrig. Ganz verdutzt saßen sie auf dem Boden und starrten vor sich hin.

Jenny sah staunend, wie ihr Vater von einem zum anderen humpelte, zu den hässlichen Kerlen, die ihm das Leben so schwer gemacht hatten. Und er erzählte jedem, was er vom König wusste. Er beschwor sie, doch ein neues Leben bei ihm anzufangen. Zwei von ihnen standen auf und folgten den Kindern. Die anderen blickten auf ihren Hauptmann. Der sagte nur: „Nein! Ich will nicht!" In diesem Augenblick gab es ein letztes Grollen, die Erde öffnete sich einen Spalt weit, genau dort, wo der Hauptmann saß, und verschlang ihn.

Starr vor Schreck saßen die drei Kumpane da und wagten nicht, sich zu rühren. Da lief Jenny zurück, fasste den einen an der Hand und zog ihn mit sich. Und ihr Vater fasste den zweiten. Und noch einer kam, der Sohn des Räuberhauptmanns. Er fasste den dritten. Und die Räuber ließen sich ziehen, bis sie merkten, dass sie den Kindern glauben konnten, dass selbst sie in das Reich des Königs aufgenommen werden würden.

Tom sah den Vater an. Dieser strahlte vor Freude, heller als die Sonne. Der Junge wollte sich mitfreuen. Er hatte bloß noch eine Sorge:

„Wo werden die alle wohnen? Wir haben doch unseren Bau noch nicht fertig!"

Der Vater wies lachend auf die andere Seite: „Schau mal, was ich inzwischen gemacht habe!"

Die Baustelle war gar keine mehr! Da stand ein riesiges Gebäude, schön wie ein Palast. Tom fielen fast die Augen aus dem Kopf. „Das bringst du fertig! Ganz allein! Aus unseren bescheidenen Anfängen!" – „Ach, weißt du, Tom, ich habe mich so gefreut auf deine Räuber, meine neuen Kinder! Und da wollte ich halt auch was tun!", lächelte der König verschmitzt.

Ende. Ende?

Mehr Abenteuer mit Tom und dem König!

„Räubers"-Produktionen und mehr sind erhältlich in Ihrer christlichen Buchhandlung oder direkt bei:

D&D Medien GmbH
Gewerbestraße 5
88287 Grünkraut
Fon: 0751 - 150 91
Fax: 0751 - 150 93
E-Mail:
welcome@ddmedien.com
www.ddmedien.com

Nicht wie bei Räubers ... Hörspielreihe

Die spannenden Geschichten rund ums Königsschloss als Hörspielreihe mit vielen Liedern. Je MC/CD ca. 53-66 min.

MC/CD 1: Tom und das Königsschloss
(Bestell-Nr.: MC 8031/CD 8071)
MC/CD 2: Tom und die Riesenschlange
(Bestell-Nr.: MC 8032/CD 8072)
MC/CD 3: Tom und der große Kampf
(Bestell-Nr.: MC 8033/CD 8073)
MC/CD 4: Tom und das dunkle Wasser
(Bestell-Nr.: MC 8034/CD 8074)
MC/CD 5: Tom und der große Auftrag
(Bestell-Nr.: MC 8035/CD 8075)
MC/CD 6: Tom und der heilige Berg
(Bestell-Nr.: MC 8036/CD 8076)
MC/CD 7: Tom und das fremde Mädchen
(Bestell-Nr.: MC 8037/CD 8077)
MC/CD 8: Tom und das Fischerdorf
(Bestell-Nr.: MC 8038/CD 8078)
MC/CD 9: Tom und das große Geheimnis
(Bestell-Nr.: MC 8039/CD 8079)
MC/CD 10: Tom und die Boten des Königs
(Bestell-Nr.: MC 8060/CD 8080)
MC/CD 11: Tom und die gefallene Stadt
(Bestell-Nr.: MC 8061/CD 8081)
MC/CD 12: Tom und das Volk des Mondes
(Bestell-Nr.: MC 8062/CD 8082)

Nicht wie bei Räubers ... Liederheft

Das Liederheft zu den Hörspielfolgen 1-3. Mit Gitarrengriffen und Noten, zu jedem Lied eine Zeichnung von German Frank zum Ausmalen.
36 Seiten, 16 Abbildungen, Gh., 21 x 21 cm, ISBN 978-3-932842-03-0

Liederheft Nr. 2

Mit allen Liedern der Hörspielfolgen 4-9. Mit Gitarrengriffen, Noten und vielen Zeichnungen
36 Seiten, 16 Abbildungen, Gh., 21 x 21 cm, ISBN 978-3-932842-35-1

Wir sind Königskinder! (Doppel-CD)

Alle Lieder der Hörspielfolgen 1-12 jetzt auf CD! 43 tolle Songs, berührende und mitreißende Lieder – die meisten aus der Feder von Albert Frey. Spielzeit insgesamt ca. 90 min.
ISBN 978-3-932842-70-2

Musical-Version

Für Bühnenaufführungen mit Kindern und Jugendlichen gibt es von „Nicht wie bei Räubers ..." auch eine detailliert ausgearbeitete Bühnenversion für eine ca. 70-minütige Aufführung. Neben einer CD-ROM mit allen Texten, Noten, Choreographievorschlägen, Requisitenliste, Rollenplan, Werbematerial und GEMA-Informationen sind auch eine Aufführungs-Soundtrack-CD sowie Lied-Lern-CDs für die teilnehmenden Kinder erhältlich. Nähere Informationen finden Sie auf unserer Homepage www.ddmedien.com.

Poster & Faltkarten

Die zentralen Aussagen der „Räuber"-Geschichten ins Bild gebracht. Mut machende Bibelverse liebevoll illustriert von German Frank. Verschiedene Postermotive, ca. 43 x 67 cm, glanzlackiert.
Außerdem gibt es diese Motive auch auf Faltkarten im 5er-Set (je 5 gleiche Motive) mit Couverts (Kartengröße ca. 11,3 x 17 cm)

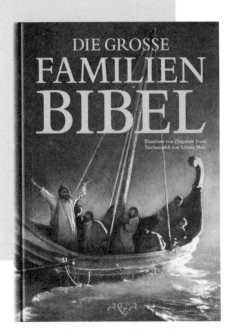

Ursula Marc/Zbigniew Freus
Die große Familienbibel

Faszinierende Illustrationen und eine einfühlsame Nacherzählung von über 250 biblischen Geschichten machen diese Bibel zu einer wahren Schatztruhe für die ganze Familie!
Unglaublich ausdrucksstarke Illustrationen von der ersten bis zur letzten Seite verleihen dieser prachtvollen Bibelausgabe ihre Einzigartigkeit. Der polnische Künstler Zbigniew Freus hat mit seinen farbintensiven Bildern, in denen er die biblischen Szenen in geradezu filmischer Dramaturgie verdichtet hat, ein wahres Meisterwerk geschaffen.
Beeindruckend auch die Nacherzählung von Ursula Marc: Ihre einfache, warmherzige und dabei theologisch fundierte Erzählweise macht es jungen wie älteren Leserinnen und Lesern leicht, hineinzutauchen in die bewegende Welt der Heiligen Schrift – in die Geschichte Gottes mit seinem Volk, die er heute im Leben eines jeden von uns weiterschreiben möchte.

424 Seiten, gebunden, durchgängig vierfarbig, 24,7 x 17,5 cm, ISBN 978-3-932842-77-1

Von Margarete Dennenmoser (alias „Ursula Marc")
sind in diesem Verlag außerdem erschienen:

Margarete Dennenmoser
Wenn du weißt, wer du bist ...

Ein brandaktuelles Buch zur Diskussion um den Platz der Frau in der Gesellschaft. Die Texte verströmen den Duft biblischer Verheißungen und ermutigen die Leserinnen, das in Anspruch zu nehmen, was Gott für sie als Frauen bereithält. Die Lebensqualität einer Frau hängt entscheidend davon ab, inwieweit sie ihren Platz als Tochter Gottes einnimmt. Ein einzigartiges Frauenbuch!

220 Seiten, geb., 14 x 20 cm,
ISBN 978-3-932842-80-1

Margarete Dennenmoser
judith h.

Roman. Seit einem schrecklichen nächtlichen Traum ist Judith nicht mehr dieselbe. In der nun folgenden Suche nach dem wahren Leben werden manche ihrer ganz normalen Alltäglichkeiten als Frau unserer Zeit in Frage gestellt. Judith gerät über Umwege auf einen faszinierend neuen, für sie ungewöhnlichen Weg, auf dem sie schließlich auf ähnliche Weise handeln wird wie jene Frau gleichen Namens, von der die Bibel erzählt.

200 Seiten, Pb., 20 x 12,5 cm,
ISBN 978-3-932842-11-5

Margarete Dennenmoser
Katrin
Aspekte des Frauseins

Eine Frau fragt – und bekommt Antwort. In der engagierten Auseinandersetzung mit Gott gelangt Katrin, eine moderne Frau, zu überraschenden Einsichten und Ansichten über befreites und befreiendes Frausein, über die Würde der Frau in den Augen Gottes. Mit viel Feingefühl, großer Offenheit und auch durch zähes Nachfragen und sorgfältige theologische Arbeit versucht die Autorin, die Rolle der Frau in Gottes Heilsplan zu ergründen.

248 Seiten, 12 Abbildungen, Pb.,
20 x 12,5 cm, ISBN 978-3-932842-00-9